D1234913

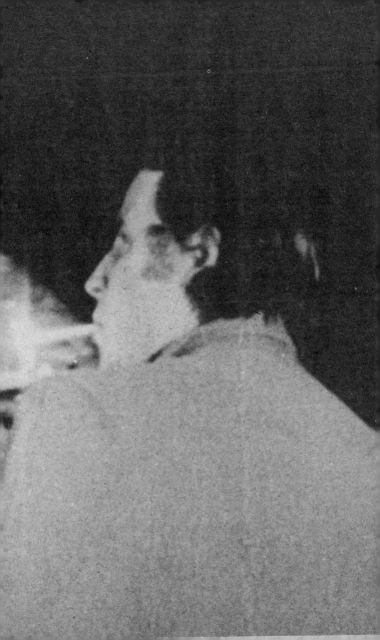

Pierre Saurel

L'ASSASSIN NE PREND PAS DE VACANCES.

QUÉBEC/AMÉRIQUE

450 est, rue Sherbrooke, Suite 801,
Montréal, Québec H2L 1J8
Tél.: (514) 288-2371

DÉPÔT LÉGAL:
2e TRIMESTRE 1981
BIBLIOTHÈQUE NATIONALE DU QUÉBEC
ISBN 2-89037-063-1

Chapitre premier

COUP DE TÊTE

Après avoir raccroché le récepteur, Fleurette resta un moment immobile. Elle savait fort bien qu'elle se devait d'agir et le plus tôt possible ; autrement, l'homme qu'elle aimait se retrouverait sans emploi.

— Tant pis, murmura-t-elle, il l'aura voulu.

Et d'un pas saccadé, elle traversa le grand salon, se dirigea vers l'escalier, monta à l'étage et entra dans sa chambre. Elle s'approcha du lit et souleva un coin du matelas ; puis elle glissa la main sur le sommier et en sortit une grande enveloppe brune.

Son sac à main se trouvait sur le bureau. Oui, en pliant l'enveloppe en deux, elle pouvait la mettre dans sa sacoche. Mais, tout à coup, elle changea d'idée.

Rapidement, elle enleva son chandail et baissa sa jupe. Elle plaça l'enveloppe juste sous ses seins et la retint avec un cordon qu'elle prit dans le tiroir de son bureau.

Elle remonta sa jupe et remit son chandail. Personne ne pouvait deviner qu'elle avait cette grande enveloppe collée à la peau.

Prenant son manteau et son sac, elle descendit au salon et posa le tout sur le divan.

— Il va sûrement rentrer pour le souper. À moins que...

— Annette ! appela-t-elle.

Quelques instants plus tard, une femme, dans la cinquantaine, portant un joli petit tablier en dentelle, parut.

— Oui, mademoiselle ?

— Papa a-t-il téléphoné ?

— Non, mademoiselle. D'ailleurs, ce matin, il m'a dit qu'il viendrait manger. Il veut que tout soit prêt quand il arrivera car il a un rendez-vous important, à huit heures.

— Merci, Annette.

La bonne allait sortir, lorsque Fleurette la rappela :

— Annette, votre souper est prêt ?

— Oui, je finissais de mettre la table.

— Laissez, je terminerai. Vous pouvez sortir.

Annette parut surprise.

— Sortir? fit-elle. Mais pourquoi? Où voulez-vous que j'aille à cette heure-ci? Monsieur veut pas que...

— Ne vous occupez pas de papa. Je vous dis de sortir. J'ai à parler avec lui et je ne veux aucun témoin.

— Oh! vous savez, mademoiselle j'ai pas l'habitude d'écouter aux portes.

Annette avait répondu assez sèchement. La remarque de Fleurette semblait l'avoir piquée au vif.

— Je sais que vous êtes discrète, je sais que vous n'écoutez pas aux portes, je sais que vous vous mêlez de vos affaires... fit Fleurette, martelant chaque syllabe.

Puis, perdant patience, elle termina en criant :

— Mais je vous ordonne de partir, c'est clair !

— C'est bien d'valeur, mais j'ai pas l'habitude de me faire crier par la tête, moi. Parce que vous êtes la fille unique d'un homme riche, vous vous pensez supérieure. Je l'prends pas.

— Et moi non plus. Vous pouvez partir tout de suite.

— J'partirai si je veux. C'est pas vous qui m'avez engagée, mais votre père. Vous pouvez pas me mettre à la porte. Pensez pas vous en tirer aussi facilement avec moi, ma petite.

Et Annette, la tête haute, sortit du salon. À peine deux minutes plus tard, Fleurette entendait claquer la porte.

« Elle reviendra sûrement, pensa-t-elle. Au fond, je l'aime bien. »

Fleurette s'était appuyée sur le bord de la grande fenêtre. Elle vit Annette qui était rendue au coin de la rue ; elle attendait l'autobus. Fleurette se souvenait qu'Annette l'avait toujours traitée comme si elle avait été sa propre fille. Parfois, la jeune fille avait même fait d'elle sa confidente.

Elle était la fille unique de Roger Garnier, et sa mère était morte avant qu'elle pût la connaître. Garnier, occupé par ses affaires, n'avait guère eu le temps de s'intéresser à l'éducation de sa fille. Fleurette avait donc passé une partie de sa jeunesse dans les couvents, élevée par les bonnes sœurs. Plus tard, une fois ses études terminées, lorsqu'elle revint à la maison, elle aurait voulu travailler, comme toutes ses compagnes.

— Jamais, avait dit Garnier. Tu n'es pas une fille ordinaire, toi. Une femme, c'est fait pour demeurer à la maison. Celles qui travaillent, c'est parce que leurs parents n'ont pas su réussir dans la vie.

— Allons donc, papa, avait répliqué Fleurette, tu n'es plus dans les années 30. Aujourd'hui, la femme a évolué. Je pourrais travailler pour toi, à ton usine. Tu me créerais un poste important. Je te prouverais qu'une femme peut être aussi bonne, sinon meilleure, qu'un homme.

Mais Garnier n'avait pas fléchi. Fleurette s'ennuyait. Heureusement, elle faisait partie de diverses organisations ; cela aidait le temps à passer. Mais elle n'avait pas beaucoup d'amis, et surtout connaissait très peu de garçons.

— Je suis laide, se disait-elle souvent. Les garçons qui s'intéressent à moi ne le font que pour mon argent, parce que je suis la fille de Roger Garnier.

Fleurette oubliait que toutes les femmes, même les moins jolies, ont toutes un certain charme. Mais elle se trouvait trop grande, trop maigre. Son père l'obligeait à se vêtir sévèrement et tout ça lui donnait un air de vieille fille.

Un jour, cependant, Fleurette décida elle-même de se transformer. Elle se rendit dans un salon de coiffure. On lui fit une tête à la dernière mode. Ses cheveux bruns devinrent châtains, ce qui lui donnait un air moins sévère. Elle passa entre les mains d'une esthéticienne. On la maquilla, on mit ses yeux en valeur. Fleurette elle-même ne se reconnaissait plus.

— Vous êtes chanceuse d'être riche, made-moiselle Garnier, lui dit la maquilleuse. Moi, si j'étais à votre place...

La jeune fille hésitait :

— Qu'est-ce que vous feriez ?

— Chirurgie esthétique. Je me ferais refaire le nez. S'il était moins pointu, ça vous transformerait complètement. Vous avez une très jolie taille, pas de problème avec les régimes amaigrissants pour vous. Une opération, et on vous ferait des seins qui pourraient faire rougir n'importe quelle vedette de cinéma.

— Allons donc ! Non, je veux rester moi-même.

Mais ces paroles n'étaient pas tombées dans les oreilles d'une sourde. Et, se regardant dans le miroir, Fleurette se voyait avec un petit nez, une poitrine aguichante... Oui, c'était possible. Après tout, elle possédait l'argent nécessaire pour se payer toutes ces transformations.

— Mais papa voudra jamais.

Elle avait bien raison. Roger avait trouvé ridicule que sa fille se fasse teindre les cheveux ; il la disait maquillée outrageusement.

— Et tes secrétaires au bureau ? Tu vas me faire croire que ce sont des allumettes à collets montants, comme ta fille ? Ouvre-toi les yeux, papa, je n'ai que vingt ans. Je ne veux pas avoir l'air d'une vieille mégère. Je n'ai pas fini de me transformer, tu verras. Et puis, regarde-moi comme il faut. Avoue donc, pour une fois, que je peux être jolie.

14

— Mais je n'ai jamais dit que tu étais laide, s'écria Garnier. Tout ce que je désire, c'est que tu n'attires pas l'attention, comme toutes ces filles à la conduite légère.

— Tu te fies beaucoup trop aux apparences, papa.

Et maintenant, elle était décidée. Un jour, on lui referait le nez ; un jour, elle aurait des seins bien formés et, ce jour-là, les hommes se retourneraient sur son passage.

Brusquement, Fleurette fut tirée de sa rêverie par le bruit d'une voiture qui venait de s'arrêter devant la porte.

— Le voilà !

Roger Garnier descendit de sa voiture, une serviette de cuir à la main. D'un pas assuré, il marcha vers sa magnifique maison, située presque au flanc du mont Royal, dans la ville d'Outremont.

Fleurette prit une profonde inspiration. Elle se passa la main sur le ventre, frôlant l'enveloppe collée à sa peau. Elle était nerveuse. Elle savait que la partie serait dure, car elle connaissait son père, et elle le savait inflexible.

Elle entendit la porte s'ouvrir et, immédiatement, Garnier donna des ordres :

— Annette, j'espère que le repas est prêt. Vous pouvez me servir. Je passe à table dans deux minutes.

Il entra dans le salon, lança sa serviette de cuir sur le divan et se dirigea vers la salle de bains.

— Papa !

— Ah ! tu étais là, toi. Excuse-moi, je ne t'avais pas vue.

— Annette n'est pas là. Je m'occuperai de te servir. Mais, auparavant, je voudrais te parler.

Garnier était entré dans la salle de bains. Il avait laissé la porte entrouverte et, pendant qu'il se lavait les mains, il continuait à converser avec sa fille.

— Annette est-elle malade ?

— Non, c'est moi qui lui ai demandé de partir. Je voulais être seule avec toi. Ce que j'ai à te dire...

Garnier sortit de la salle de bains.

— Sers-moi tout de suite. Nous causerons en mangeant.

— Non, c'est trop important.

— Ça peut attendre. Je devais avoir un rendez-vous à huit heures, mais il a été déplacé à sept heures trente. Et avant ce rendez-vous, je veux parler avec Philippe.

— C'est Philippe qui attendra, répliqua sèchement Fleurette. Ce que j'ai à te dire est très important.

— Bon, fais vite, je t'écoute, soupira Garnier. Qu'est-ce que tu désires ? Tu as besoin d'argent ?

— Non. J'ai décidé de me marier.

Garnier se mit à rire.

— Ce n'est que ça? C'est pour m'apprendre cette nouvelle que tu as préparé toute cette mise en scène? Le grand salon, le départ d'Annette... tu pouvais parler devant elle, tu sais. Ça fait des mois que je te le dis. Philippe te fera un excellent époux.

Fleurette regarda son père dans les yeux, puis pesant sur chacun de ses mots, elle déclara :

— Je vais épouser Daniel Bourgeois.

Roger Garnier haussa les épaules. L'air décidé de sa fille ne semblait pas du tout l'impressionner. Il ouvrit la bouche pour parler, mais Fleurette enchaîna :

— Je suis majeure, papa. Tu ne peux pas m'empêcher d'épouser l'homme que j'aime. Je tenais à te le dire.

Garnier hocha la tête ; un petit sourire moqueur parvint à se dessiner aux coins de ses lèvres.

— Pauvre petite ! Jusqu'à aujourd'hui, je t'ai toujours empêchée de faire des bêtises. Mais tu sembles bien décidée à braver ma volonté.

— Oui, papa. Je ne changerai pas d'idée. Philippe Michaud, je ne l'aime pas. Oh, pour vous, l'avoir comme gendre, ça arrangerait bien des choses. Vous avez peur que vos employés forment un syndicat. Vous savez fort bien que c'est Philippe qui dirige le tout et qu'ils font tout ce qu'il dit. S'il devenait votre gendre, il n'oserait plus se soulever contre vous. Non. Philippe Michaud est trop vieux pour moi ; il ne m'aime pas mais, évidemment, ce serait pour lui une magnifique chance d'avancement.

— Et Daniel Bourgeois ? Tu crois qu'il t'aime ? C'est un petit ambitieux.

— Un homme travailleur.

— Un Don Juan qui fait la cour à toutes les secrétaires, un coureur de jupons.

— C'est faux.

— Écoute, je ne suis pas aveugle, je vois quand même ce qui se passe dans mon usine.

Fleurette s'efforçait de rester calme.

— Quoi que tu dises contre Daniel, papa, tu me feras pas changer d'idée.

Garnier ne paraissait pas avoir entendu la réplique de sa fille.

— J'ai tellement reçu de plaintes contre ce jeune Bourgeois que j'ai décidé de lui signifier son congé.

Fleurette bondit.

— Quoi ?

— Et ma décision n'a rien à voir avec ton idée de mariage.

La jeune fille serra les poings. Elle fit un pas en avant, s'arrêtant à quelques pouces de son père.

— Je savais que tu étais un homme sans pitié, j'ai toujours su que tu n'hésitais pas à abattre ceux qui cherchent à se mettre en travers de ta route. Mais si tu congédies Daniel, papa, tu vas le regretter !

Garnier, brusquement, changea d'attitude. Il venait de jeter un coup d'œil à sa montre et il voulait mettre fin à cette conversation.

— Je n'ai rien à faire de tes menaces. Tu veux épouser Daniel, vas-y, je ne t'en empêche pas... Mais ton futur mari devra se trouver un nouvel emploi... Et toi... eh bien, attends-toi pas à être couchée sur mon testament. C'est tout. Maintenant, sers-moi, je veux manger.

Fleurette ne bougea pas, même si déjà son père se dirigeait vers la salle à dîner.

— Je m'attendais à cette menace, papa ; mais c'est un petit jeu qui se joue à deux. Jamais je n'aurais pensé être obligée d'aller jusque-là.

Garnier se retourna :

— Qu'est-ce que tu veux dire ?

— Il y a des hommes d'affaires qui ont une fort mauvaise habitude : celle de conserver des papiers compromettants, croyant que jamais personne ne les trouvera.

L'homme d'affaires pâlit légèrement.

— Je ne sais pas du tout de quoi tu veux parler.

— Il y a quatre ans, ton associé, ton bras droit, Lucien Landry est mort dans un accident d'automobile. Je me souviens qu'à ce moment-là, on a vaguement parlé de suicide...

— Où veux-tu en venir?

— Combien as-tu payé ce comptable, demanda Fleurette, un dénommé Foisy, qui a falsifié les livres de façon à faire croire que votre entreprise était acculée à la faillite? Toi, tu avais l'argent nécessaire pour investir, mais pas Landry. Tu t'es emparé tout d'abord de sa maison, puis tu as racheté toutes ses parts et, enfin, tu l'as chassé du bureau de direction...

— Il n'y avait rien de malhonnête là-dedans, s'écria Garnier. Il m'a fallu mettre plus de soixante mille dollars dans les usines pour éviter la faillite. Landry n'avait plus le sou...

— Papa, c'est du vol. Landry avait confiance en toi. J'ai fouillé dans le coffre-fort qui est dans ta chambre et...

— Quoi?

Garnier fonça sur sa fille.

— Qu'est-ce que tu as fait?

— J'ai trouvé des papiers, j'ai trouvé des lettres de ton fameux comptable, monsieur Foisy. Je peux prouver à tous que tu es un voleur, papa! Ah! tu veux me déshériter! Tu veux congédier Daniel? Tu vas te rendre compte qu'à te voir agir, moi aussi j'ai appris à jouer dur. Non seulement Daniel restera à ton emploi, mais j'exige que tu me remettes immédiatement la part de l'héritage de maman...

part que je ne dois toucher qu'à ta mort. Mais vois-tu, je n'ai pas confiance en toi.

Garnier, perdant tout contrôle, laissa partir une gifle magistrale qui projeta Fleurette sur un fauteuil. Il la saisit aux poignets.

— Tu vas me remettre ces papiers tout de suite. Où les as-tu cachés? Réponds, parce que sans ça...

Il leva à nouveau la main, mais Fleurette réussit à se dégager. Elle pleurait de rage. En vitesse, elle alla au divan, mit rapidement son manteau et prit son sac. Mais Garnier ne se tenait pas pour battu. Il arracha brutalement le sac de sa fille et l'ouvrit.

— Cherche pas tes papiers. Je ne les ai plus.
— Quoi?
— Donne-moi mon sac.

Garnier comprit qu'il n'aurait pas le meilleur.

— Excuse-moi, Fleurette, je me suis laissé emporter. Je vais tout t'expliquer. Si tu veux me donner ces papiers, je te montrerai que ce n'est pas du vol, que...

Fleurette reprit son sac.

— Inutile, papa. Trop tard. Tu regretteras de m'avoir frappée. Tu vas le regretter amèrement.

Et elle sortit en courant de la maison. Garnier se dirigea vers la fenêtre, juste à temps pour voir sa fille monter à bord d'un taxi.

Il se dirigea vers le cabinet à boisson, sortit une bouteille de cognac, s'en versa un verre qu'il vida d'un trait, puis il en prit un second.

— C'est un coup de tête. Elle se calmera. Elle ne peut pas me faire ça, elle se calmera.

Mais dans la voiture-taxi, Fleurette, nerveusement, avait soulevé son chandail. D'un geste brusque, elle arracha la fameuse enveloppe.

— Chauffeur !

— Oui ?

— Arrêtez-moi un instant au premier bureau de poste qu'on verra. Ça ne prendra qu'une seconde, il faut que j'expédie cette enveloppe.

Quelques instants plus tard, Fleurette glissait la grande enveloppe dans l'ouverture placée près de l'entrée du bureau de poste.

— Voilà, c'est fait. Il l'aura voulu ! Tant pis pour lui.

Elle remonta dans la voiture.

— Où dois-je vous conduire, mademoiselle ?

— Je ne sais pas, roulez... N'importe où. J'ai besoin de réfléchir. Vous inquiétez pas, je vous paierai pour votre course.

Quelques minutes plus tard, le chauffeur jeta un coup d'œil dans son rétroviseur. Il voyait à peine sa cliente, mais il entendait ses sanglots.

— Est-ce que je peux vous être utile mademoiselle ?

Fleurette ne répondit pas. Déjà, elle regrettait son coup de tête ; mais le mal était fait.

Jamais elle ne s'était sentie aussi seule. Elle s'était montrée implacable envers son père, elle regrettait d'avoir perdu la tête.

« Daniel ! Oui, c'est le seul qui puisse peut-être m'aider ! » pensa-t-elle en se tordant les mains.

Chapitre II

ON DEMANDE DE L'AIDE

Le jeune Daniel Bourgeois s'était montré d'une patience d'ange. Fleurette était à peine entrée dans son appartement qu'elle éclatait en sanglots. Il avait voulu la prendre dans ses bras, mais elle l'avait repoussé et était allée s'écraser dans un large fauteuil.

Daniel n'avait pas posé de question, pas une seule. Il savait que, tôt ou tard, elle finirait par se calmer. Il aurait pu lui offrir un verre, mais elle l'aurait refusé, il la connaissait trop bien. Pendant que Fleurette sanglotait, il alla dans sa cuisinette, emplit un verre d'eau et revint le déposer sur la table, près de la jeune fille.

— Si tu veux de l'eau... murmura-t-il.

Elle fit un non énergique de la tête. Daniel regarda sa montre.

— Elle a sûrement eu une scène avec son père... Ou il lui est arrivé une aventure.

Petit à petit, les sanglots diminuaient. Fleurette avait appuyé sa tête sur son bras et, maintenant, ses épaules étaient secouées légèrement mais on ne l'entendait plus pleurer.

Enfin, elle releva la tête; sa figure était baignée de larmes. Elle avança la main, prit le verre d'eau, mais ne put en avaler qu'une toute petite gorgée. Elle reposa le verre, ouvrit son sac et en sortit un mouchoir avec lequel elle s'essuya les yeux.

Daniel comprit qu'il était temps de s'approcher d'elle. Conservant un silence respectueux, il alla s'asseoir sur le bras du fauteuil, passa sa main derrière les épaules de Fleurette et l'attira vers lui. Elle appuya la tête sur sa poitrine, puis, soudain, elle recommença à pleurer. Daniel retint un soupir de découragement. Tout en pleurant, Fleurette murmura :

— C'est épouvantable... C'est fini... Jamais il ne me pardonnera.

Daniel aurait aimé poser une question, une seule, afin d'en savoir plus long. Mais encore une fois, il comprenait que seul le temps viendrait à bout de cette crise de nerfs. Enfin, elle se calma et se serra plus étroitement contre le jeune homme.

Il se pencha alors sur elle, l'embrassa sur la joue, lui passa la main dans les cheveux. Et soudain, Fleurette se jeta à son cou et ses lèvres s'écrasèrent sur celles de Daniel en un baiser passionné.

— Toi non plus, tu ne me pardonneras pas. Il est trop tard... trop tard. Je n'aurais pas dû faire ça. Si tu savais comme je regrette.

— Allons, Fleurette, fit doucement Daniel ; toute erreur est pardonnable. Quand on commet une bêtise, l'admettre, c'est déjà beaucoup. Ensuite, il suffit de prendre son courage à deux mains et de réparer.

— Mais tu ne comprends donc pas, s'écria-t-elle brusquement : je ne pourrai jamais réparer. Si papa ne va pas en prison, tous ses employés lui en voudront et le détesteront ; ils ne lui pardonneront jamais.

Il avait donc deviné juste. Elle avait eu une scène avec son père.

— J'ai perdu la tête quand il m'a dit qu'il te congédierait. Je n'ai plus voulu rien entendre.

Puis, après un silence, elle avoua :

— C'est faux, je ne dis pas toute la vérité. J'avais préparé mon coup à l'avance. Je n'aurais jamais dû fouiller dans son coffre.

Et, par phrases saccadées, elle réussit à conter ce qui s'était passé. Maintenant Daniel savait tout, ou presque.

— Fleurette, tu exagères peut-être la portée de ces papiers que tu as trouvés.

— Non, Daniel, non. Papa a fait falsifier ses livres. Il a acculé monsieur Landry à la faillite. Non seulement monsieur Landry a perdu tout son argent, mais bien des ouvriers ont été lésés. Landry avait créé une sorte de coopérative. Plusieurs des employés de l'usine avaient investi leurs économies dans l'affaire. Ils ont tout perdu. L'usine ne faisait pas des millions, c'est vrai, mais jamais il n'y a eu danger de faillite.

— À qui as-tu expédié cette enveloppe ? s'enquit Daniel.

— Au journal *Échos-Choc*. Tu sais que ce journal ne recherche que le scandale. Le journaliste Bert Aubrin est reconnu comme un salaud. Il est détesté de tous les journalistes. Il est propriétaire de son journal. Il refuse de se laisser acheter. Il publie tout. Il ne craint pas les actions. On l'a traîné plusieurs fois en cour, mais il s'en est toujours tiré et sa feuille de chou se vend à des centaines de milliers d'exemplaires.

Daniel connaissait ce journal. C'était le pire du genre au Québec. Ce Aubrin avait réussi à salir des centaines de réputations ; il disait la vérité, mais une vérité qui n'aurait jamais dû être publiée.

Le jeune homme se leva. Maintenant que Fleurette était plus calme, il lui offrit un verre de gin.

— Tout n'est peut-être pas perdu, dit-il au bout d'un moment.

— Comment ça?

— Nous pouvons chercher à récupérer cette enveloppe. Si, demain matin, nous allions au bureau de poste...

— Non, le bureau de poste est fermé pour la nuit, mais on ramasse quand même le courrier. Demain, l'enveloppe ne sera plus là.

— Bon, supposons que nous ne puissions pas la récupérer. Envisageons autre chose. Tout d'abord, ton père osera pas me congédier.

— C'est ce que tu crois. Je vois bien que tu le connais mal.

— Je suis persuadé qu'il n'osera pas. Les ouvriers sont avec moi. Ce serait la révolte à l'usine. Je m'entends très bien avec Philippe Michaud. Je travaille, moi aussi, dans le but d'installer le syndicat dans l'usine. On croirait à une vengeance.

Fleurette avait de la difficulté à rassembler ses idées.

— Tu as peut-être raison.

— Il faut empêcher la publication de ces papiers que tu as fait parvenir à Aubrin.

— Mais de quelle façon?

Daniel réfléchissait.

— Nous avons un avantage, Fleurette. Dans presque tous les cas, Aubrin apprend certaines choses sur des personnes connues. Ces dernières l'ignorent. Aubrin vérifie ce qu'il a appris puis il publie la vérité, au risque de ternir plusieurs réputations. Mais cette fois, nous savons qu'il a les papiers en main, nous le savons avant qu'il ne les publie. Il n'est pas trop tard pour l'arrêter.

Fleurette se leva.

— Mais de quelle façon? Oh! Daniel, si tu savais combien je me déteste. Ce que j'ai fait là, je ne me le pardonnerai jamais. J'ai accusé papa d'avoir poussé Landry à se suicider; mais moi, je fais la même chose avec mon père.

— Tu as confiance en moi? fit le jeune homme d'un air décidé.

— Il n'y a que toi qui puisses m'aider.

— Je vais te demander quelque chose. D'abord, tu vas me laisser seul.

— Oh non! Où irais-je? Jamais je ne pourrai rentrer à la maison.

— Tu as sûrement une amie chez qui tu peux te réfugier pour ce soir, ou même cette nuit. Tiens, tu veux un conseil, va te reposer dans un cinéma. Vas-y avec une amie et essaie d'aller coucher chez elle.

— Tu crois sérieusement que je suis capable de m'intéresser à un film ?

— Mais non. Le cinéma, pour toi, ce n'est qu'un refuge temporaire. Moi, je vais réfléchir à tout ça. Il me faut demander de l'aide.

— Mais à qui ?

— Je ne sais pas ; c'est pour ça que j'ai besoin d'être seul, Fleurette. Je trouverai une solution. Il faut me faire confiance. Allons, tu me promets d'être raisonnable ?

Elle ne répondit pas.

— Tu te sens mieux ? Tu ne commettras pas de bêtises ?

— Non, c'est promis.

— Tu veux téléphoner à une amie ?

— Non. Je vais sortir. Je vais me promener, le grand air me fera du bien. Ensuite, je verrai. Je peux peut-être retourner à la maison. Papa a un rendez-vous ce soir. Il rentrera très tard. Je n'ai qu'à m'enfermer dans ma chambre. Il ne me dérangera pas. Le matin, il part toujours avant que je me lève.

— Fais comme tu voudras.

— Mais je vais te téléphoner pour savoir si tu as trouvé une solution. Il faut que je sache.

Daniel la prit dans ses bras et l'embrassa longuement.

— Fais-moi confiance. Je trouverai un moyen pour empêcher ce journaliste de publier ces papiers. Après tout, il doit entendre la version de ton père. Pourquoi ton père a-t-il engagé un comptable? Pourquoi a-t-il fait changer des chiffres dans les livres? Était-ce pour ruiner Landry ou bien pour empêcher une faillite? Il faut aller au fond de cette affaire. Ce n'est ni toi, ni moi qui pouvons faire ça. Je trouverai une solution.

Quelques minutes plus tard, un peu plus rassurée, Fleurette sortit de chez son ami. Elle héla un taxi et se fit conduire sur la montagne. Elle n'était pas loin de chez elle. Et là, elle pouvait se promener, respirer du bon air, essayer de se changer les idées.

« Pourtant, papa paraissait heureux depuis quelque temps. Il voulait se gagner l'amitié de ses employés. Il changeait d'attitude. »

Fleurette se souvenait d'une conversation qu'elle avait eue avec lui. Garnier était propriétaire d'un lac, dans les Laurentides, tout près de Val-David. C'était un lac artificiel qu'il avait fait agrandir. Il avait fait construire un immense chalet sur ce domaine.

— Je vais inviter les employés à venir fêter l'arrivée des beaux jours à mon chalet, avait-il déclaré. Je les inviterai une fin de semaine.

— Tous les employés? Voyons, papa, ça n'a pas de sens.

— Non, pas tous. J'inviterai ceux qui parlent de former un syndicat. Je suis prêt à mettre de l'eau dans mon vin, à écouter leurs revendications. Nous causerons de tout ça en admirant le magnifique paysage des Laurentides, en accueillant les premiers rayons chauds du soleil de printemps. Je suis persuadé que nous nous entendrons. Et je veux que toi, tu sois de la fête. Daniel y sera, Philippe également. Tu pourras alors comparer les deux hommes.

Fleurette savait que c'était inutile. Philippe lui était antipathique et elle adorait Daniel.

«Maintenant, tout est à l'eau, songeait-elle amèrement. J'aurais dû attendre cette fameuse fin de semaine. »

Combien de temps marcha-t-elle dans la montagne? Une heure? peut-être plus. Il commençait à faire froid, le vent traversait son imperméable la faisant grelotter. Elle décida donc de retourner chez elle. Elle avait surtout hâte de téléphoner à Daniel. Peut-être avait-il trouvé un moyen pour récupérer cette fameuse enveloppe.

La faible lueur d'une veilleuse baignait la grande fenêtre du salon. Fleurette était persuadée que son père était absent. Quant à Annette, elle ne rentrerait sûrement pas avant d'avoir pu parler à monsieur Garnier.

La jeune fille monta directement à sa chambre, ne faisant aucun bruit et, surtout, veillant à ne pas laisser de trace de son passage.

— Si papa croit que je ne suis pas rentrée, c'est tant mieux.

Sa porte de chambre était toujours fermée. Avant d'allumer la lumière, elle alla tirer la lourde tenture qui empêchait toute lumière de filtrer. Enfin, après avoir enlevé son manteau, elle s'assit sur le bord de son lit, prit son appareil téléphonique et appela à l'appartement de Daniel.

Mais les sonneries demeurèrent sans réponse. Le jeune homme était sorti.

« Peut-être qu'il a vu quelqu'un. Peut-être qu'il a trouvé un moyen de me tirer de ce mauvais pas », se dit-elle, le cœur rempli d'espoir.

Elle se dévêtit, passa son baby-doll, puis son déshabillé, s'installa dans son fauteuil préféré et chercha à se reposer en lisant un livre commencé la veille. C'était bien inutile. Fleurette ne pouvait fixer son attention sur sa lecture. Elle se vit obligée de relire deux fois la même page. Ses yeux parcouraient les mots, mais son esprit errait ailleurs.

Elle se releva et téléphona de nouveau chez Daniel.

— Pas arrivé, murmura-t-elle dans un souffle impatient.

Elle jeta un coup d'œil sur sa montre. Ça ne faisait que dix minutes qu'elle avait logé son premier appel. Elle se sentait encore très nerveuse. Au lieu de retourner lire, elle décida de prendre un bain. «Oui, ça devrait me calmer.»

Elle s'efforça de rester plusieurs minutes, étendue dans le bain, se laissant caresser la peau par les bulles de savon. Une demi-heure passa cette fois, sans que Fleurette s'en rende trop compte. Lorsqu'elle sortit du bain, non seulement était-elle plus calme, mais déjà le sommeil semblait vouloir la gagner.

Elle décida de rappeler Daniel. Cette fois, après la troisième sonnerie, on décrocha.

— Enfin, c'est toi!

— Fleurette. Je suppose que tu as téléphoné plusieurs fois?

— C'est la troisième fois.

— Comment te sens-tu?

— Beaucoup plus calme. J'ai pris un bain chaud, je me suis reposée, je crois même que je pourrai dormir.

Et, tout de suite, elle demanda:

— Toi, tu as trouvé une solution? Je voudrais tellement que papa n'ait pas à souffrir de mon coup de tête.

— J'ai beaucoup réfléchi, Fleurette, annonça gravement Daniel. Il faut empêcher ce journaliste de publier les documents que tu lui as fait parvenir. Pour ça, il n'y a qu'un seul et unique moyen. Il faut le rencontrer au plus tôt.

Il faut l'impressionner. Il faut le convaincre qu'il va s'attirer des tas d'ennuis.

— Tu iras le voir? demanda-t-elle.

— Moi? Oh non! Ça ne donnerait absolument rien. Je ne suis pas.. comment dirais-je, je ne suis pas assez pesant. Il faut quelqu'un capable de lui faire peur... et je connais ce quelqu'un. Nous l'avons trouvé.

— Qui, nous?

— Oh! des amis avec qui j'ai bavardé. Ne crains rien, nous n'avons pas parlé de toi. Tu as dû entendre parler de Robert Dumont?

— Non, qui est-ce?

— Le Manchot!

— Oh! tu veux parler de ce détective privé, celui qui a réussi, dernièrement, à capturer le maniaque qui étranglait des filles?*

— Exactement. En quelques mois, Robert Dumont est devenu l'un des plus populaires enquêteurs du Québec. On le craint dans tous les milieux. Il n'a pas peur d'affronter les criminels, la pègre et parfois même les autorités. Alors, ce n'est sûrement pas un journaliste de pacotille qui l'impressionnera.

— Tu lui as parlé?

— Oui, mais je n'ai rien pu lui expliquer. Je lui ai dit que nous avions besoin de ses services. Je dois le rencontrer demain matin, à neuf

---

* Lire le Manchot no 6: *Tueur à répétition.*

heures. Aussi, j'ai prévenu mon gérant de département, à l'usine, que je serai en retard demain.

Fleurette s'écria aussitôt :

— Dis à monsieur le Manchot que nous sommes prêts à payer le gros prix pour récupérer les documents.

— Je n'ai pas l'impression que c'est le genre d'homme qui offrira de l'argent à Aubrin. De toute façon, tu peux dormir sur tes deux oreilles. Le Manchot va sûrement nous aider. Je lui fais confiance. Demain, aussitôt que je l'aurai vu, je te téléphonerai.

— Je ne bougerai pas de la maison.

— Maintenant, chérie, repose-toi. Essaie de dormir et, surtout, évite toute discussion avec ton père.

— Je te promets d'être très raisonnable. Je t'aime, Daniel. Merci pour tout ce que tu fais pour moi.

— C'est la moindre des choses. À demain, chérie. Fais de beaux rêves.

Daniel Bourgeois raccrocha. Mais, sans l'avoir dit à Fleurette, il était inquiet. Il avait pu causer quelques instants avec le Manchot.

— Nous avons besoin de vous pour empêcher le journaliste Aubrin de publier un scandale dans sa feuille de chou *Échos-Choc*, avait-il expliqué.

— J'ai bien peur de ne pouvoir vous aider. Quand Aubrin a des preuves, il n'y a rien qui puisse arrêter son fiel.

Ce n'était guère encourageant. Mais quand même, le Manchot lui avait fixé un rendez-vous pour le lendemain matin.

« Espérons qu'il a plus d'un tour dans son sac, espérons qu'il trouvera un moyen pour clouer le bec de ce journaliste. »

Chapitre III

SCANDALE

Le grand Michel Beaulac, l'assistant du Manchot, entra dans le bureau de l'agence de détectives.

— Salut, les filles.

Rita, la secrétaire et Candy, la nouvelle recrue qui accomplissait un excellent travail de détective, se retournèrent pour saluer leur collègue.

Michel lança son imperméable sur une des chaises de l'entrée, puis esquissa un long sifflement.

— Qu'est-ce que t'as? demanda Candy.

— Y fait son chandail ! On dirait qu'il est deux fois trop petit pour toi. Avec les deux montagnes qui dépassent, faut éviter de trop s'approcher de toi, carabine !

— T'es pas drôle, Michel Beaulac. Et puis, tu veux mon opinion ? Eh bien, je vais te la dire : toi, un grand gars, un colosse comme toi, tu fais tapette !

— Quoi ?

— Oui, tu fais tapette avec ton patois. Qui a déjà vu ça, « carabine », c'est pas un patois pour un dur.

Michel s'approcha de la statuesque Candy.

— Quand j'avais dix ou douze ans, c'est pas « carabine » que je disais. Mon patois, c'était « calvaire ». Je suppose que t'aimes mieux ça ?

Candy n'osa pas répondre.

— Le père, qui était dans la police, pouvait pas souffrir ça. Des claques sur la gueule, j'en ai reçu chaque fois que je disais ce mot-là. Et je peux t'assurer que des jours, j'en ai reçu des dizaines. Comme le père avait toujours son revolver ou encore sa carabine à la main, eh bien, petit à petit, pour pas avoir la figure marquée pour le restant de mes jours, je me suis habitué à dire « carabine ». C'est aussi simple que ça. Et puis, à part de ça, ça te regarde pas, ma belle Candine.

Candy tourna brusquement le dos à Michel. Elle détestait se faire appeler Candine, son véritable prénom.

— Rita, vous avez préparé le dossier Beausoleil?

— Tout est là.

— J'en ai pour une bonne partie de la journée à enquêter sur cette affaire. Le boss est arrivé?

— Oui.

— Rien de spécial?

— Je ne crois pas. Un instant, je vais le lui demander.

Une seconde plus tard, elle était en communication avec le Manchot.

— J'attends un visiteur vers neuf heures. Que Michel continue son travail, mais qu'il me téléphone vers dix heures.

Quelques instants plus tard, Michel quittait le bureau. Candy hésita, puis s'approcha de Rita.

— Vous avez pu obtenir quelques renseignements sur cette femme qui est sortie quelques fois avec monsieur Robert? demanda-t-elle.

Rita leva la tête.

— On dirait que les amours de monsieur Dumont vous tracassent. Seriez-vous entichée de lui, par hasard?

— Pas du tout. Mais je m'intéresse à lui. Il est mon patron et...

— Rassurez-vous. Les femmes et lui, c'est terminé. Monsieur Dumont a été amoureux deux fois. Avant son accident...

— Je sais tout ça, trancha Candy.

— Eh bien, reprit Rita, cette jeune fille que monsieur Dumont a connue autrefois, Hélène Prieur, celle qu'il parlait d'épouser, il y a plusieurs années, avant l'accident qui lui a coûté un bras... Eh bien, c'est elle qui est revenue.

— Ah !

— Monsieur Robert m'a un peu parlé de cette femme. Hélène Prieur s'est mariée il y a quelques années. Elle n'a pas eu d'enfants. Aujourd'hui, elle vit séparée de son mari. Elle a toujours été malheureuse.

Candy crut deviner la vérité.

— Et elle voudrait que le Manchot s'intéresse à elle ?

Rita haussa les épaules.

— Ça, faudrait le lui demander à elle. Mais je puis vous assurer que monsieur Robert n'a pas l'intention de s'attacher à une femme. Pour lui, Hélène est une amie, une connaissance, pas plus. Il est sorti une fois ou deux avec elle, pour la désennuyer.

Après une pause, la secrétaire avoua :

— Monsieur Dumont, au fond, n'est pas très

heureux. Il a parfois besoin de se confier et il semble m'avoir prise pour confidente.

— Dans ce cas, répliqua Candy, une véritable confidente devrait apprendre à tenir sa langue.

— Et vous, vous devriez cesser de me questionner. Vous êtes jalouse, je suppose?

Candy éclata de rire.

— Moi, jalouse de vous? Faites-moi rire en trois volumes!

— Vous voudriez que ce soit à vous qu'il se confie? Aucun danger pour ça. Vous avez trop d'amis. Vous, ce n'est pas la morale qui vous étouffe. Les conseils que vous pourriez lui donner...

— Tu sauras, ma petite...

Mais la porte qui venait de s'ouvrir mit fin à cette conversation qui risquait de tourner au vinaigre.

— Monsieur Robert Dumont est là? J'ai pris rendez-vous avec lui.

Candy voulut s'avancer vers l'élégant jeune homme qui venait de faire son apparition.

— Laissez, fit Rita, c'est mon travail. Votre nom, monsieur?

— Daniel Bourgeois.

— Si vous voulez vous asseoir, ça ne devrait pas être long.

Rita retourna à son bureau, appela le Manchot à l'intercom et lui annonça l'arrivée de Daniel Bourgeois. Puis elle fit signe au jeune homme de la suivre.

— Monsieur Dumont vous attend.

Quelques instants plus tard, Daniel entrait dans le bureau du Manchot. Il regarda longuement cet homme aux traits durs, à la figure sympathique mais au regard froid, aux yeux très noirs qui semblaient scruter jusqu'au plus profond de vos pensées.

— Assoyez-vous, monsieur Bourgeois.

Comme tous les visiteurs, Daniel ne pouvait s'empêcher de regarder la main gauche du Manchot.

— Excusez-moi, j'ai beaucoup entendu parler de cette prothèse. C'est vrai, tout ce que j'ai lu ?...

— Monsieur Bourgeois, je suis surchargé de travail. Laissons ma prothèse de côté et venons-en au fait. Que vous arrive-t-il ?

Daniel raconta toute l'histoire. Le Manchot, bien enfoncé dans son fauteuil, un cigare au coin des lèvres, ne semblait pas l'écouter. Il ne lui posa pas une seule question.

Ce ne fut que lorsque Daniel se tut que le Manchot secoua la cendre du cigare dans son cendrier et se leva.

— Selon vous, monsieur Bourgeois, Roger Garnier est-il un honnête homme ?

— Écoutez, je ne voudrais pas porter de jugement...

— Je veux connaître votre opinion. Vous travaillez pour monsieur Garnier, vous aimez sa fille. Vous avez sûrement pu étudier le comportement de ce magnat de l'industrie?

— Oui.

Daniel était mal à l'aise.

— Monsieur Garnier fit-il enfin... eh bien, c'est le genre d'homme capable de tout pour arriver à ses fins. Je vais vous donner un exemple. Présentement, il fait l'impossible pour empêcher les employés de l'usine de se syndiquer. Il veut rester le grand maître, il veut tout diriger. Alors, il prend des moyens détournés.

— Qu'entendez-vous par là?

— Philippe Michaud est à la tête du syndicat, expliqua Daniel. Il est devenu son ennemi numéro un. Eh bien, au lieu de trouver une raison pour le flanquer à la porte, il cherche à l'attirer dans ses griffes. Il pousse Philippe dans les bras de Fleurette.

— Fleurette, c'est la fille que vous aimez?

— Oui.

Mais Daniel s'empressa d'ajouter:

— Je ne crains pas la concurrence. Fleurette m'aime. Quant à Philippe, s'il s'intéresse à elle, ce n'est que par intérêt. Un jour, Fleurette héritera de son père. Elle sera riche... Pour en revenir au conflit ouvrier, monsieur Garnier a organisé une grande fête. Il nous a invités, nous serons une quinzaine à passer deux jours dans son magnifique chalet des Laurentides. Il croit sans doute pouvoir nous acheter. Maintenant, vous devinez le genre d'homme qu'il est.

— Donc, conclut le Manchot, il est plus que probable que ces documents, postés à Aubrin, disent la vérité.

— J'en ai bien peur. Je me demande pour quelles raisons monsieur Garnier n'a pas détruit ces documents.

Le détective avait la réponse toute prête.

— Au cas où ce comptable aurait voulu, un jour, faire chanter Garnier. Ce dernier possède des documents signés prouvant que le comptable a falsifié les livres. Donc, il tenait le comptable à la gorge et l'astreignait à garder le silence.

— Une mesure de protection?

— Exactement!

Le Manchot resta un long moment sans parler. Selon son habitude, il arpentait son bureau de long en large. Enfin, il s'arrêta devant le jeune Bourgeois.

— J'aimerais bien pouvoir vous aider, mais je sens que j'ai les mains liées. Aubrin se moquera sans doute de moi.

— Peut-être pas. Le Manchot est pas n'importe qui. Moi, il m'enverrait au diable; mais vous, ce peut être différent.

— Je déteste accepter des clients, leur faire dépenser de l'argent tout en étant presque assuré de ne pas les satisfaire. Mais, puisque vous insistez, j'irai voir Aubrin ; j'essaierai de faire pression sur lui. On ne sait jamais, cet homme a peut-être quelque chose à cacher.

*

* *

Aubrin offrit un fauteuil au détective.

— C'est pour moi un grand honneur de recevoir le fameux Manchot. Je ne croyais pas que vous puissiez vous intéresser à mon journal.

Juste à ce moment, la porte s'ouvrit et un jeune homme parut.

— Ne bougez pas, fit Aubrin.

Et en moins de quinze secondes, il avait pris deux photographies des deux hommes.

— Si vous ne voyez pas d'objections, monsieur Dumont, nous passerons ces photos dans notre journal. Ça vous fera une très bonne publicité.

— Je regrette, mais je déteste ce genre de publicité et je ne tiens pas du tout à ce que ma photo paraisse dans votre journal. C'est clair ?

Aubrin souriait narquoisement. Il alla s'asseoir derrière son bureau et ordonna à son photographe de sortir.

— Un instant, monsieur Dumont, j'ai pris une vieille habitude et c'est toujours utile. Voyez-vous, j'ai une fort mauvaise mémoire et je déteste rapporter des choses qui n'ont pas été dites. Alors, j'enregistre toutes les conversations de mes visiteurs.

Et il appuya sur un bouton qui servait à mettre en marche un magnétophone.

— Allez-y, maintenant, je vous écoute. Que puis-je faire pour vous?

— Ce sera pas très long. Vous avez dû recevoir, ce matin, une enveloppe qui vous était adressée...

— J'en reçois des centaines tous les jours. Si vous saviez l'important courrier que nous avons, vous en resteriez estomaqué.

— Je parle d'une enveloppe contenant certains documents, qui vous ont été adressés par mademoiselle Fleurette Garnier.

— Ah bon! Je vois où vous voulez en venir. Ces documents sont très intéressants, monsieur Dumont. J'ignore si vous les avez lus, mais ils sont clairs, nets, explicites et ça va faire un article de première page. Le but de notre journal est de dénoncer ces hommes qui ont commis des crimes qui sont demeurés impunis, des hommes qui ont exploité leurs semblables. Monsieur Garnier est un de ceux-là.

Le Manchot s'efforça de demeurer calme.

— Et moi, je suis venu vous demander de me remettre cette enveloppe, Aubrin. Mademoiselle Garnier vous l'a expédiée après s'être querellée avec son père. Ces documents sont faux et...

Aubrin éclata de rire.

— Allons, monsieur Dumont, ne mentez pas, c'est pas joli. J'ai déjà pris mes informations. J'ai téléphoné au fameux comptable, ce matin, et il était prêt à me verser une grosse somme pour que son nom ne paraisse pas. C'est la preuve que ces documents disent la vérité.

Il se leva et se pencha en avant sur son bureau.

— Je suppose que votre cliente vous a chargé de m'offrir un certain montant ? D'acheter mon silence ?

— Pas du tout. Je ne suis pas ce genre d'homme, Aubrin. Je voulais simplement savoir si vous aviez l'intention de publier ce scandale.

— Évidemment que je le publierai. J'ai un journal qui sert à dénoncer les criminels, les voleurs, les chevaliers d'industrie...

— N'en parlons plus, fit le Manchot en se levant à son tour. Je me rends compte que c'est inutile.

Robert Dumont, lentement, avait avancé sa main droite sur le bureau du journaliste. Avant que ce dernier ait eu le temps d'intervenir, il appuya sur le bouton, coupant le contact du magnétophone.

— Je tiens à vous prévenir, Aubrin, gronda-t-il. Si vous publiez ces documents, je vous surveillerai nuit et jour, jusqu'à ce que je vous prenne en défaut. Je scruterai votre passé à la loupe. Chaque homme a commis au moins une bêtise dans sa vie. Je découvrirai votre faiblesse. Je n'aurai de repos que lorsque vous serez derrière les barreaux.

— Voulez-vous remettre ce magnétophone en marche s'il vous plaît?

Il voulut repousser la main du Manchot. Ce dernier avança alors sa main gauche et ses doigts se refermèrent sur le poignet du journaliste. Ce dernier esquissa une grimace.

— Laissez-moi, vous me faites mal. Si vous me blessez, je vous traînerai en justice.

— Je n'ai qu'à serrer un peu plus, Aubrin et je vous écrabouillerai la main pour toujours. Un journaliste qui peut plus écrire, ce n'est pas très efficace, n'est-ce pas?

Il lâcha la main d'Aubrin et ce dernier se frotta vigoureusement les doigts.

Posément, le Manchot appuya sur le bouton et remit le magnétophone en marche.

— Bon, vous pouvez publier ces documents et salir la réputation de monsieur Garnier, mais si ce scandale produit un drame, vous en serez tenu responsable, monsieur Aubrin. Je ne vous fais aucune menace. Je ne vous mets qu'en garde. C'est tout.

Quelques instants plus tard, le Manchot sortait des bureaux du journal. Une fois dans sa voiture, il décrocha le récepteur de son appareil téléphonique et appela Daniel Bourgeois.

— C'est bien ce que je croyais, dit-il. Ma visite a été parfaitement inutile. Aubrin publiera ces documents.

— Il n'a pas voulu entendre raison?

— Je vous le répète, il n'a peur de rien. Monsieur Garnier est mieux de se tenir sur ses gardes.

La voix de Daniel était fort inquiète.

— Je vous remercie quand même, monsieur Dumont. Je vous rappellerai probablement.

— Pourquoi?

— Il est possible que nous ayons recours à vos services. Voyez-vous, la justice ne pourra probablement pas intervenir dans l'affaire Garnier. Mais je connais plusieurs personnes, des ouvriers, des amis de Landry, l'ex-partenaire de Garnier, qui voudront se venger...

— Allons, attendez que la nouvelle soit publiée avant de songer au pire, Bourgeois. Et puis, on ne sait jamais. Il se peut qu'Aubrin y pense à deux fois avant de publier ces documents.

Mais le Manchot avait dit cette phrase sans grande conviction. Il avait bien raison. Trois jours plus tard, le journal *Échos-Choc* paraissait. En première page, une immense photo de Roger Garnier.

CET HOMME D'AFFAIRES EST LA CAUSE DIRECTE DU SUICIDE DE SON PARTENAIRE.

Et en sous-titre :

Même s'il a ruiné des dizaines d'ouvriers, il est toujours en liberté.

Documents exclusifs. Il a fait falsifier les livres de sa compagnie.

Scandale dans le milieu de la finance.

Et, à l'intérieur du journal, on publiait les documents, on donnait quelques explications, mais on relatait surtout le suicide de Landry. On reproduisait des articles parus à cette époque.

« Déjà, disait-on, plusieurs personnes trouvaient cette mort pour le moins mystérieuse. Pousser une personne au suicide, c'est comme si l'on commettait un meurtre. »

Aubrin n'y allait pas de main morte. À la toute fin de l'article, en quatrième page, il y avait une photo du Manchot, Robert Dumont, en compagnie d'Aubrin.

« Le célèbre policier Robert Dumont, *"Le Manchot"*, a tenté de récupérer les documents pour le compte des Garnier. Mais devant la gravité des faits, il a encouragé notre journaliste à publier la nouvelle. Le Manchot, tout comme notre journal, désire que la vérité éclate au grand jour. »

Dumont était en colère, mais il ne pouvait rien faire. Pour lui, l'affaire était terminée. Il avait fait l'impossible pour intimider Aubrin, mais ça n'avait pas réussi.

« Je ne regrette qu'une chose, se disait-il, c'est d'avoir accepté la proposition de Bourgeois. »

*
* *

— Oui, qu'est-ce que c'est ? demanda le Manchot.

Il entendit la voix de Rita dans le petit haut-parleur de l'intercom.

— Monsieur Daniel Bourgeois veut vous voir. Il dit que c'est très important.

Le Manchot avait énormément de travail. Il avait même dû engager provisoirement quelques policiers à leur retraite, afin de lui prêter main forte.

— Bon, faites-le entrer.

Le jeune Bourgeois paraissait très nerveux.

— Vous auriez dû prendre rendez-vous. Je suis très occupé, monsieur Bourgeois, je n'ai que quelques minutes à vous accorder.

Monsieur Dumont, il faut que vous interveniez...

Le Manchot se leva.

— Je regrette, jeune homme. J'ai voulu vous aider ; je vous avais prévenu que c'était une cause perdue d'avance et...

— J'ai peur que monsieur Garnier ne se fasse assassiner.

— Vous n'avez qu'à prévenir la police officielle. Il n'a qu'à demander de la protection.

— Après le scandale qui vient d'éclater, jamais il ne s'adressera à la police. Ce matin, j'ai eu une longue conversation avec lui ; j'ai cherché, par tous les moyens, à le faire changer d'idée, mais il refuse d'entendre raison.

Le Manchot ne savait pas du tout ce que le jeune homme voulait dire.

— Qu'a donc l'intention de faire Garnier ?

— Les ouvriers, depuis un certain temps, parlent de fonder un syndicat. Évidemment, Garnier s'y oppose. Il essaie, par tous les moyens, de nous mettre des bâtons dans les roues. Mais, devant l'impossibilité où il se trouve, il a décidé de se plier à nos demandes, mais il veut nous amadouer, enfin tenter un dernier effort.

— Tout ce que vous me racontez là, c'est du charabia pour moi, Bourgeois. Je vous demanderais d'être un peu plus explicite.

Le jeune homme expliqua alors :

— Vendredi, nous serons une quinzaine, invités par Garnier. Nous devons tous nous rendre à son chalet. Nous allons y passer une fin de semaine à nous amuser... du moins, c'est ce qu'il nous a dit. Mais tous les invités, ou presque, sont des organisateurs du syndicat. Je devine son plan. Au cours de cette fin de semaine, il veut se lier d'amitié avec nous tous, nous faire boire... autrement dit, nous amadouer et peut-être nous acheter.

Dumont haussa les épaules :

— Ridicule ! Vous n'avez qu'à refuser cette invitation.

— Vous croyez que c'est facile, vous ? s'écria Bourgeois. Des dizaines d'ouvriers comptent sur nous. Ils savent tous que le syndicat peut définitivement prendre forme durant cette fin de semaine. Si nous reculons, nous les trahissons.

— Mais où voulez-vous en venir ?

— Au cours de cette fin de semaine, ce sera la fête, le party, la boisson coulera à flots... Et vous savez comme moi que, souvent, quand on a trop bu, il y a des querelles, on commet des bêtises. J'ai peur, monsieur Dumont, j'ai peur pour Garnier ; j'ai également peur pour Fleurette.

— Vous vous en faites sans doute inutilement.

— Non. Depuis la parution de l'article, dans *Échos-Choc*, Garnier a reçu des lettres de menaces, des appels anonymes. On veut le tuer, on veut venger la mort de Landry. Garnier crâne, mais je suis persuadé qu'il tremble de peur. Fleurette se rend responsable de tout ce qui arrive. Il faut que vous fassiez quelque chose. Il faut que vous protégiez Garnier, malgré lui.

— Mais de quelle façon? demanda alors le Manchot. Je ne suis pas invité à cette fête, moi.

— Oh! ça, ce n'est pas un problème. J'ai la permission d'inviter des amis. Nous nous rendrons tous au camp de Garnier, en autobus. Il y a de la place pour trente personnes.

— Comment pourriez-vous expliquer la présence du détective Robert Dumont?

Il montra sa prothèse.

— Je ne passe pas inaperçu et je suis passablement connu.

— Justement, si quelqu'un veut tuer Garnier, il n'osera pas le faire devant vous.

Le Manchot, après avoir réfléchi quelques instants, demanda à Bourgeois:

— Et ça avancerait à quoi? Ça ne ferait que retarder l'échéance. Si quelqu'un a décidé de tuer Garnier, il le fera tôt ou tard. Il attendra, laissera passer le week-end.

Mais Robert Dumont venait d'avoir une idée.

— Puisque vous êtes certain que celui qui envoie des lettres de menaces mettra son plan à exécution en fin de semaine, il faudrait le prendre sur le fait, la main dans le sac.

— Vous avez un moyen?

— Peut-être.

Et le Manchot murmura :

— Michel Beaulac.

— Qui est-ce?

— Mon assistant. Un excellent détective. Il n'est guère connu. Michel pourrait demeurer en communication avec moi. D'ailleurs, j'ai confiance en lui et je suis persuadé qu'il pourrait facilement protéger Garnier, et peut-être même capturer celui qui menace de le tuer.

Et les deux hommes en vinrent facilement à une entente.

*
* *

Vers la fin de la journée, Dumont mettait son assistant au courant de son travail.

— Torrieu! Je vais être tout seul sur cette affaire?

— Eh bien quoi? Il est temps que tu te débrouilles. D'ailleurs, tu as déjà mené à bonne fin plusieurs enquêtes.

— Oui, mais des choses faciles. De là à protéger la vie d'un homme qu'on veut assassiner, il y a une marge.

— Bon, n'en parlons plus, Michel, puisque tu te sens incapable de mener cette mission à bien. Je vais la confier à Candy. Elle saura sûrement...

Le jeune détective avait bondi. Le Manchot avait touché la corde sensible du grand Michel.

— Ce n'est pas un travail de femme.

— Pourquoi pas? Candy pourrait s'intéresser à Garnier. Tu sais qu'elle sait s'y prendre avec les hommes. J'ai l'impression qu'elle pourrait demeurer près de lui, nuit et jour.

— Je vais m'occuper de cette affaire, boss.

— Tu t'en sens la force?

— La force? Carabine! Vous verrez, lorsque nous reviendrons, lundi matin, non seulement monsieur Garnier sera toujours vivant, mais celui ou ceux qui veulent le tuer seront écroués derrière les barreaux.

Mais si Michel avait pu deviner dans quelle aventure il allait se lancer, il n'aurait pas été aussi enthousiaste.

Chapitre IV

MEURTRE

Michel Beaulac était exact au rendez-vous. Plusieurs personnes, déjà, attendaient autour d'un autobus, dont le chauffeur avait ouvert la porte avant de descendre se joindre à ses futurs passagers. Le jeune Bourgeois eut peine à le reconnaître. Michel avait pris soin, en effet, de se coller une moustache et il portait des lunettes. Ça le changeait suffisamment.

— Vous avez reçu les noms de tous les invités?

— Oui. Mais vous allez me les présenter, n'est-ce pas? Je veux les connaître.

— Je sais pas si je pourrai le faire immédiatement, mais je vais essayer. Venez, tout d'abord, nous allons rencontrer Garnier.

Bourgeois le présenta comme un de ses grands amis, un type intéressé à s'acheter un terrain dans les Laurentides.

— J'ai pensé l'amener avec nous, puisque vous nous donniez la permission de...

— Vous êtes le bienvenu, jeune homme. Votre nom, déjà?

— Tremblay, André Tremblay.

— Daniel a bien fait de vous inviter. Vous verrez, c'est un coin magnifique que je possède et il y a du terrain à vendre dans le secteur. Tiens, ça me donne une idée...

— Gérald? appela-t-il.

Le chauffeur de l'autobus se retourna.

— Oui, qu'est-ce qu'il y a?

— Nous allons en profiter pour visiter un peu les environs. Vous prendrez l'autoroute jusqu'à Sainte-Agathe et, ensuite, vous prendrez le chemin de Saint-Donat et vous vous dirigerez vers Sainte-Lucie. Nous arrêterons au village.

Et, se tournant vers Michel, il ajouta :

— C'est le village le plus rapproché, soit Sainte-Lucie, ou encore Val-David. Vous verrez que c'est un beau coin. Nous arrêterons prendre un verre à l'hôtel. Je vous invite tous. Ça fera un bon début de vacances. « Une courte vacance, songea Michel, mais une vacance quand même. »

Une fois que le détective eut pris place dans l'autobus, il fit signe à Daniel de venir s'asseoir près de lui.

— C'est que... je voudrais être avec Fleurette et... trop tard, Michaud vient de la faire asseoir près de lui.

— C'est pas Michaud, répondit Michel. C'est Garnier lui-même qui a demandé à sa fille de prendre place sur ce banc.

Enfin, l'autobus démarra. Michel sortit un calepin de sa poche. Par routine, il nota quelques noms : celui de Garnier, de sa fille, de Michaud, représentant du syndicat, de Daniel Bourgeois et, enfin, le prénom du chauffeur de l'autobus, Gérald.

— Pouvez-vous me dire qui sont les autres ?

Daniel parut surpris.

— Je ne les connais pas tous, vous savez. Tout d'abord, près de monsieur Garnier, c'est Monique Landry. Ça, ça nous surprend en maudit. Madame Landry, c'est l'épouse de l'ex-associé de monsieur Garnier.

— Landry, qui s'est suicidé et que...

— Justement. On chuchotait que madame Landry et monsieur Garnier se voyaient de temps à autre, mais de là à passer une fin de semaine ensemble, il y a quand même une marge. Ensuite, le jeune Bourgeois nomma deux ouvriers.

— Ce sont des durs, ceux-là, des gars qui soulèvent les autres. Ils sont, évidemment, en faveur du syndicat. De vieux employés qui ont été exploités par Garnier. Le plus gros des deux se nomme Georges Crevier ; son ami, Martin Beauvais. Et la femme qui est près d'eux, c'est l'épouse de Crevier.

Michel lui fit signe de ralentir le rythme de son débit. Il ne pouvait pas tout noter.

— Bon, maintenant, parlons des autres femmes.

— Je ne les connais pas toutes, comme les ouvriers. Il y en a trois qui sont accompagnés de leur femme, du moins, je le crois, mais j'ignore leurs noms. Quant à la jolie rousse qui est devant nous, c'est Lucile Nadon, la secrétaire privée de monsieur Garnier.

— Je l'ai remarquée, fit Michel.

C'était sûrement la plus jolie des filles présentes dans l'autobus.

— Croyez-vous qu'il y ait idylle entre Garnier et sa secrétaire ? À première vue, elle n'a pas l'air d'une fille farouche.

— Écoutez, monsieur Beaulac...

— Pardon, André Tremblay !

— Je ne voudrais pas poser de jugements sur la conduite des gens, poursuivit Bourgeois. On chuchote bien des choses, à l'usine, mais faut-il se fier aux qu'en-dira-t-on?

Michel, rapidement, comptait les passagers et vérifiait sur sa liste.

— C'est bien ça : avec moi, nous sommes dix-sept.

— Juste.

Une bouteille de whisky circulait de siège en siège. On chantait dans l'autobus. Cette fin de semaine s'annonçait réellement comme une partie de plaisir.

Le voyage jusqu'au petit village de Sainte-Lucie s'accomplit sans incident. Michel tendait l'oreille, cherchait à percevoir des bribes de conversation. Mais on chantait fort dans certains coins : il était donc impossible d'écouter ce qui pouvait se dire.

Debout au centre de l'autobus, Garnier avait joué au cicérone depuis que l'autobus avait quitté l'autoroute.

— Maintenant, je vous invite tous à prendre un verre à l'hôtel. Il y a une très belle salle. Tous les samedis soir, monsieur Tremblay, vous pouvez venir vous y amuser. On danse, on a du plaisir, surtout l'été, alors que les touristes sont nombreux.

Tout le monde entra dans l'hôtel. Michel s'efforçait de ne jamais perdre Garnier de vue. Son devoir était de le protéger. Il s'assit donc à une table, pas trop éloigné de Garnier qui avait pris place avec sa fille, madame Landry et le jeune Bourgeois.

Le propriétaire de l'hôtel vint prendre les commandes. Tout le monde leva son verre.

— À la santé de tous mes ouvriers, fit Garnier.

— À la santé des ouvriers syndiqués, fit une voix.

— Qui a crié ça, c'est vous, Michaud ? demanda aussitôt Garnier.

Un homme se leva. Michel reconnut celui qui s'appelait Georges Crevier.

— C'est moi, christ ! Vous avez beau essayer de nous paqueter, ça empêchera pas le syndicat de se former.

— Commence pas le trouble, Georges. Assis-toi !

C'était son camarade Beauvais qui avait parlé.

La phrase lancée par Crevier semblait avoir mis le feu aux poudres. Tout le monde discutait à haute voix. On parlait maintenant de syndicat, on parlait d'injustice.

— En tout cas, cria Crevier, c'est pas moi qui va se suicider à cause de vous, christ !

Fleurette voulut intervenir.

— Messieurs, messieurs, je vous en prie. On est venu pour s'amuser...

— Oui, on connaît les plans de votre père, cria un ouvrier.

Petit à petit, on se calma. Mais déjà, on sentait qu'il se formait de petits groupes; l'atmosphère n'était plus du tout à la fête.

— Je voudrais vous parler.

Michel se retourna. Philippe Michaud était derrière lui.

— C'est à moi que vous vous adressez?

— Oui, je veux vous parler, seul à seul. Venez par ici, il y a une taverne adjacente au bar; nous y serons bien pour causer.

— C'est que...

— C'est très important, fit Michaud. Je suis au courant de bien des choses...

Et, baissant la voix, il ajouta à l'oreille de l'assistant du Manchot:

— Monsieur Beaulac...

Michel se leva, mal à l'aise, et suivit l'homme qui voulait implanter le syndicat dans l'usine.

— Comment se fait-il que vous sachiez mon nom? demanda aussitôt Michel.

— Daniel m'a mis au courant.

— Mais ce devait être un secret entre nous.

— Écoutez, moi, je ne voulais pas qu'il arrive un malheur au cours de cette fin de semaine. Je sais que les ouvriers sont enragés à cause du scandale. Garnier a reçu des menaces. J'en ai parlé à Daniel et il m'a rassuré, en me disant, tout d'abord, que le Manchot lui-même serait du voyage. C'est tantôt qu'il m'a dit que vous l'aviez remplacé.

Daniel Bourgeois avait sûrement trop parlé. Si Michaud était au courant, bien d'autres personnes pouvaient connaître la véritable identité de Michel.

— Il faut que vous sachiez ce que j'ai fait. Vous pourriez mal interpréter ce qui va se passer en fin de semaine.

Michaud commanda deux bières, mais Michel refusa la sienne.

— Garnier fait tout pour m'empêcher d'installer le syndicat. Il m'offre même Fleurette en mariage. Remarquez que c'est intéressant. Cette fille-là deviendra très riche un jour, ça remplace la beauté.

Il avouait donc, ni plus ni moins, qu'il n'aimait pas Fleurette, songea Michel.

— Garnier me fera jamais changer d'idée. Certains ouvriers ont peur de lui; ils craignent l'arrivée du syndicat. D'autres sont pour moi. Mais Garnier fléchira en fin de semaine. J'ai pris les grands moyens.

Michaud regarda autour de lui afin de s'assurer que personne ne pouvait entendre la conversation.

— Il y a une voiture qui a suivi l'autobus, poursuivit-il. Ce sont de mes hommes; ils sont trois, des fiers-à-bras.

Michel sursauta.

— Quoi? Vous avez engagé des fiers-à-bras pour semer la pagaille au cours de cette fin de semaine?

— Il n'y aura pas de bagarre. Ils vont s'arranger pour faire peur à Garnier, tout simplement. Ce sont des spécialistes. Ne craignez rien, ils ne le tueront pas. Mais j'ai l'impression que lundi matin, le patron va filer doux quand il reviendra à l'usine.

Michel se leva.

— Michaud, écoutez-moi bien. Je suis ici pour remplir une mission : je dois protéger la vie de Garnier et essayer d'arrêter la ou les personnes qui veulent attenter à sa vie. Vous allez pas me compliquer la situation.

— Que voulez-vous dire?

— Vous allez ordonner immédiatement à vos trois fiers-à-bras de retourner à Montréal.

— Jamais de la vie! J'ai besoin d'eux.

— Tant pis. Ils seront arrêtés dès qu'on va arriver au camp. Je vais immédiatement prévenir la police provinciale et on s'occupera d'eux.

Michaud, c'était évident, regrettait de s'être confié à Michel.

— Bon, bon, inutile de prendre le feu. Je vais leur demander de ne pas se montrer au camp; mais je vais les garder ici, à l'hôtel. Si jamais j'ai besoin d'eux, je leur ferai signe.

— Ils sont présentement dans l'hôtel?

— Ils sont là, dans le coin ; dans la taverne, pas loin de nous.

— Dans ce cas, fit Michel en tournant la tête, allez les trouver immédiatement et prévenez-les de pas nous suivre jusqu'au camp.

Michaud s'approcha des trois hommes qui s'étaient installés à une table du fond et leur parla à voix basse ; puis l'un des trois alla trouver le propriétaire de l'hôtel pour retenir des chambres. Cinq minutes plus tard, Michaud revenait à la table de Michel.

— Bon, c'est fait ; vous êtes satisfait ? Avoir su, je n'aurais rien dit. Allons retrouver les autres.

Mais déjà, plusieurs des invités étaient sortis de l'hôtel. Garnier n'était plus à sa table. Daniel était seul et causait à voix basse avec Fleurette.

Michel s'approcha de leur table.

— Votre père est sorti, mademoiselle Fleurette ?

Ce fut Daniel qui répondit :

— Depuis un bon moment. J'ai causé avec lui, à l'extérieur. Nous allons nous rendre au camp. Fleurette était demeurée dans l'hôtel, je venais la chercher.

Juste à ce moment, la voix de Gérald, le conducteur de l'autobus, se fit entendre.

— Allons, allons, hâtez-vous. Tout le monde dans l'autobus.

68

Fleurette se leva.

— Allons-y.

Michel se joignit aux autres qui sortaient de l'hôtel. Personne n'était encore monté dans l'autobus. Tout le monde bavardait devant l'hôtel.

Gérald leur fit signe que l'autobus les attendait, et ce fut Fleurette qui monta la première.

— Si ça ne vous fait rien, fit Daniel à voix basse, je vais m'asseoir près d'elle. Elle me l'a demandé et...

La phrase de Daniel fut interrompue par un hurlement à vous glacer le sang dans les veines. Comme une folle, Fleurette se jeta dans les bras du jeune homme.

— Mais quoi? Qu'est-ce que tu as?

— Là, là!

Elle faisait un signe avec sa main.

— Papa!

— Quoi?

Michel repoussa vivement le jeune Bourgeois.

— Soyez calme; surtout, qu'on n'attire pas trop l'attention des gens du village. Il s'est peut-être rien passé.

Mais quelques secondes plus tard, il devait se rendre compte que Fleurette n'avait pas crié inutilement.

Roger Garnier était assis sur le même banc qu'il avait occupé lors du voyage Montréal — Sainte-Agathe. Il était penché en avant et on pouvait voir le manche d'un poignard planté dans son dos.

On l'avait frappé à au moins deux reprises, et l'assassin n'avait pas jugé bon de reprendre l'arme du crime. Rapidement, Michel constata que Garnier était bel et bien mort. Le sang coulait encore sur le siège. Le meurtre avait été commis une dizaine de minutes plus tôt, tout au plus.

Déjà, des hommes pénétraient dans l'autobus. On voulait savoir ce qui se passait.

Michel les repoussa tous à l'extérieur et ordonna au chauffeur d'empêcher qui que ce soit de monter.

— J'ai une mauvaise nouvelle à vous apprendre, dit-il au groupe réuni. Monsieur Roger Garnier est mort !

On imagine le bruit que fit cette nouvelle. Michel s'efforçait de garder son calme. Il réfléchissait rapidement.

« Si je préviens la police immédiatement, ça prendra probablement des heures avant qu'on dépêche des spécialistes de l'escouade des homicides. »

Par contre, toutes les personnes ayant intérêt à voir mourir Garnier se trouvaient toutes là, réunies, à l'exception des trois fiers-à-bras engagés par le syndicaliste. «Mais ces trois types, tout comme Michaud, ne peuvent être coupables, puisqu'ils sont pas sortis de l'hôtel. »

Déjà, Michel pouvait éliminer ces noms de sa liste de suspects, tout comme celui de Fleurette qui, selon Daniel, n'avait pas quitté sa table.

— Vous allez tous monter dans l'autobus, fit Michel en exhibant sa carte. Restez à l'avant. Je veux personne autour de la victime. Nous allons tous nous rendre au camp de monsieur Garnier et, de là, nous préviendrons la police.

Daniel parut surpris.

— Pourquoi nous rendre au chalet?

— Je veux prévenir Robert Dumont avant d'appeler la police, répondit aussitôt Michel. Et puis, vous savez comment c'est dans un village? Si on reste ici, il y aura bientôt une foule de curieux et toutes les traces disparaîtront.

— Comme vous voudrez.

Michel compta tous ceux qui montaient à bord.

— Quinze personnes... seize avec la victime. Carabine, il manque quelqu'un. On était dix-sept.

— Vous êtes-vous compté? demanda la jolie secrétaire de Garnier.

— Calvaire! murmura-t-il; puis, à haute voix, il continua: j'avais complètement oublié. Mademoiselle Fleurette vous connaissez la route? Indiquez-la au chauffeur.

— Elle n'est pas en état de donner des indications, fit le chauffeur. Je connais le chemin. J'y ai déjà conduit monsieur Garnier à quelques reprises, fit Gérald. Mon travail consiste pas seulement à conduire les autobus. Cet autobus-là a été loué par monsieur Garnier. Moi, je suis son chauffeur privé.

Et en disant ça, il mit l'autobus en marche. Quinze minutes plus tard, tout le groupe descendait devant le magnifique chalet de Garnier. Un terrain immense, bien paysagé, surplombait un grand lac artificiel.

Fleurette avait remis une clef à Daniel et ce dernier alla ouvrir la porte du chalet.

— Entrez tous, fit Michel. Défense de sortir sans ma permission.

Georges Crevier, qui avait évidemment trop bu, demanda:

— Qui t'es toi, pour nous donner des ordres, christ?

Plusieurs l'approuvèrent.

— Vous êtes aveugles? Vous avez pas vu ma carte tout à l'heure? Je suis détective privé!

Il y eut de nombreuses exclamations et ce fut Daniel qui réussit à imposer le silence.

— Il dit la vérité. Monsieur a été engagé justement pour protéger monsieur Garnier.

Un des ouvriers ricana :

— 'Stie! Il a bien fait son travail.

— Tous dans le chalet, ordonna à nouveau Michel.

Puis, s'adressant à Michaud, il lui demanda son aide.

— Pendant que je vais tenter de rejoindre mon boss et la police provinciale, pouvez-vous surveiller l'autobus ?

Un autre ouvrier s'avança :

— Pourquoi lui plus qu'un autre ? S'il y en a un qui avait un bon motif pour tuer Garnier, c'est bien lui.

— Justement, il peut pas l'avoir tué, fit Michel, il est pas sorti de l'hôtel un seul instant.

— Pas vrai, cria un autre homme. Il était plus à sa table ; vous non plus, d'ailleurs.

— J'étais avec lui, dans la taverne, nous causions. Allons, entrez tous dans le chalet. Je peux compter sur vous, Michaud ?

— Craignez rien, Beaulac ; personne ne s'approchera de l'autobus.

Quelques instants plus tard, Michel réussissait à rejoindre le Manchot qui, heureusement se trouvait au bureau.

— Boss, il s'en passe, des choses, ici. Monsieur Garnier a été assassiné.

— Quoi ?

— Dans l'autobus.

— Le crime a été commis sous tes yeux, s'écria le Manchot, et tu n'as rien pu faire pour...

— Pas sous mes yeux. Moi, je me trouvais à l'intérieur de l'hôtel et... C'est trop long à vous expliquer. Maintenant, nous sommes rendus au chalet de Garnier. Tous les suspects sont ici. C'est au village que Garnier a été tué. Son corps est toujours dans l'autobus et...

— Une seconde, Michel, une seconde, interrompit le Manchot. Si j'ai bien compris, le meurtre a été commis pendant que l'autobus était stationné au village ?

— C'est ça.

— Comment se fait-il que l'autobus soit maintenant rendu au chalet de Garnier, et avec le cadavre toujours à l'intérieur ? Les policiers ne l'ont pas fait conduire à la morgue ?

— La police a pas encore été prévenue...

Cette fois, le Manchot poussa un véritable rugissement. Il enrageait.

— Mais qu'est-ce que tu as fait là ? On ne doit jamais déplacer un cadavre. Non seulement tu déplaces le cadavre, mais l'autobus n'est plus à l'endroit où le meurtre a été commis.

— Boss, je suis certain d'avoir bien fait. Si vous aviez été à ma place...

— Dis pas de bêtises, veux-tu ?

— Mais tous les suspects sont réunis dans le chalet. Nous sommes tous ici, carabine ! Ce sera beaucoup plus facile de découvrir et de démasquer l'assassin !

Le Manchot avait peine à retenir sa colère.

— Qui te dit que des ouvriers n'ont pas suivi l'autobus ? Qui te dit que l'assassin est dans le groupe ?

— Mais...

— Donne-moi des détails au sujet de la route à suivre pour se rendre à ce camp. Je me charge de prévenir la police provinciale.

— Un instant, je vais vous passer le chauffeur de l'autobus ; il vous indiquera le chemin mieux que moi. Est-ce que... est-ce que vous allez venir, boss ?

— Oui, je saute dans ma voiture et serai là dans environ une heure, j'ai l'impression que je vais avoir à réparer tes bêtises. Maintenant, passe-moi ce chauffeur d'autobus. Toi, je ne veux plus t'entendre.

Le jeune Beaulac allait appeler le chauffeur lorsqu'il entendit à nouveau la voix du Manchot.

— Essaie quand même de te rendre utile. Commence l'enquête. Mais j'avoue que je perds de plus en plus confiance en toi.

Déconfit, Michel tendit le récepteur à Gérald, le chauffeur.

— Le boss veut vous parler.

Le jeune Beaulac, malgré les reproches de son patron, était persuadé d'avoir bien agi.

— L'assassin est parmi nous. Il est en vacances, ici, au chalet, tout comme moi. Si nous étions demeurés au village, la plupart de ceux qui ont accompagné monsieur Garnier auraient trouvé moyen de quitter les lieux du crime avant l'arrivée de la police.

Sans s'en rendre compte, Michel avait parlé à voix haute.

— Moi aussi, je suis de votre avis... Quel est votre prénom?

Il se retourna pour apercevoir la jolie secrétaire de Garnier, qui se nommait Lucile Nadon.

— Michel...

— L'assassin est sûrement dans le groupe, murmura-t-elle.

Et, se serrant contre le jeune policier, elle murmura:

— Vous allez me protéger, n'est-ce pas? Vous me semblez si brave, si fort...

Michel était mal à l'aise.

— J'ai peur... Michel. Car, j'ai bien l'impression que l'assassin, lui, il prend pas de vacances.

Chapitre V

UN TÉMOIN TROP GÊNANT

Comme la jolie Lucile semblait ne pas demander mieux que de coopérer, Michel décida de lui poser quelques questions.

— Dans l'hôtel, vous étiez assise avec quelqu'un ?

— Comment, ne me dites pas que vous m'avez pas remarquée ? J'étais seule et à la table voisine de la vôtre. Si monsieur Bourgeois s'était pas assis à votre table, je serais allée vous trouver.

Elle soupira :

— Vous savez, moi, ce voyage me plaisait pas du tout. Roger... oh ! pardon, je veux dire monsieur Garnier... avait décidé d'inviter la Landry. Tout ça, c'était pour prouver aux employés que l'épouse de son ex-associé lui en voulait plus. Mais moi, durant toute cette fin de semaine, je me serais trouvée toute seule comme une folle.

Michel demanda alors :

— Vous laissez entendre que vous et monsieur Garnier...

— Écoutez, j'étais sa secrétaire privée. Vous êtes plus un enfant d'école, n'est-ce pas ? Quand on veut de l'avancement, des fois il faut se servir d'autre chose que de sa tête.

Et elle se mit à rire, un rire fort déplacé dans les circonstances.

— Il y a bien Gérald qui me faisait de l'œil. Mais s'il pense que je vais m'intéresser à un simple chauffeur, il a besoin de se lever de bonne heure.

Michel reprit :

— Donc, vous étiez à la table voisine de la mienne. Quand monsieur Garnier est sorti, vous l'avez suivi ?

— Non, je cours jamais après les hommes, moi. Je les laisse venir.

— Oui, je vois, murmura le jeune Beaulac. Puis, à voix plus haute, il continua :

— Donc, vous êtes demeurée dans l'hôtel et vous étiez seule à votre table.

— Je vous attendais... Michel. Daniel était sorti en même temps que monsieur Garnier ; alors, moi, j'avais pris place à votre table.

— Et madame Landry ? Elle aussi est sortie avec monsieur Garnier ?

— Non. Elle a causé quelques instants avec Fleurette, puis elle s'est dirigée vers le fond. Je suis certaine qu'elle est allée à la salle de toilette.

— Et les autres ?

— Oh ! vous savez, j'ai pas remarqué tout le monde. Gérald était sorti, lui aussi. Il y a Georges Crevier qui cherchait sa femme. Il revenait de la toilette et il s'est mis à jurer comme un charretier. Il se demandait où elle était passée et quelqu'un lui a dit qu'elle était sortie avec son « chum », Martin Beauvais.

Et de nouveau, elle fut prise d'un fou rire.

— Qu'est-ce que vous avez ?

— Crevier, c'est un aveugle. Il s'aperçoit pas que sa femme et son meilleur ami... Enfin, c'est pas de mes affaires. Mais, tout le monde le sait excepté lui.

Le jeune Beaulac sortit son calepin de sa poche. Il raya le nom de Lucile Nadon et celui de Monique Landry.

Par contre, il encercla celui de Gérald, de Daniel, de Beauvais, de Crevier et de son épouse, qui se trouvaient à l'extérieur en même temps que Garnier.

Mais il restait encore plusieurs suspects. « Ils étaient six à la table du fond : trois des ouvriers avec leurs femmes. Ceux-là, ils sont pas sortis. Même que, lorsque monsieur Garnier a annoncé que nous allions quitter l'hôtel, ils se sont empressés de commander de la bière. »

D'un seul coup, Michel venait de rayer un groupe de six suspects. « Cette fois, se dit-il, le boss sera content de moi. Si je m'exclus, il y a quinze suspects. On peut éliminer tout de suite six des sept femmes qui sont pas sorties, trois des ouvriers et, enfin, Philippe Michaud. Donc, dix personnes éliminées d'un seul coup. Torrieu ! Mes affaires vont bien ; il reste seulement cinq suspects. Si ça continue de cette façon, quand le boss arrivera, j'aurai résolu le mystère. »

*
*   *

Le chalet des Garnier était immense, un véritable palais. Il y avait une dizaine de chambres à l'étage et trois autres au rez-de-chaussée.

— C'est pas un camp d'été, c'est un hôtel, remarqua un des ouvriers.

Daniel, aidé de Fleurette, avait distribué les chambres. La jolie Lucile Nadon insista auprès du jeune homme pour qu'il lui donne la chambre voisine de celle de Michel.

— Je suis tellement nerveuse. Je me sentirai plus en sécurité en sachant qu'un brave détective dormira dans la chambre voisine.

Mais lorsque Michel se retrouva seul avec Lucile, il lui déclara :

— J'attends mon boss ; vous devez avoir entendu parler de lui ? C'est le détective qu'on appelle « le Manchot ». Probable que je devrai partager ma chambre avec lui.

Pendant que Michel s'entretenait avec la jeune secrétaire, une querelle éclata dans un coin. Beauvais et son ami Crevier voulaient en venir aux coups.

— T'es rien qu'un écœurant, criait Crevier. Je vais te crisser mon poing sur la gueule...

— Puisque je te dis que j'ai pas touché à ta femme !

— Tu me prends pour un aveugle ? Elle, j'le sais que c'est une guidoune ; mais toi, j'te pensais mon ami.

Madame Crevier cherchait à s'interposer.

— Georges, t'as trop bu.

— Toi, espèce de vache, mêle-toi pas de ça.

Il repoussa rudement sa femme. Beauvais commençait, lui aussi, à en avoir assez et il éleva le ton à son tour.

Moi, je fais pas semblant de critiquer les boss, je leur lèche pas l'cul par en arrière.

— Quoi? Qu'est-ce que tu veux dire?

— T'as toujours été un visage à deux faces.

— Répète donc ça pour voir...

Heureusement, d'autres ouvriers s'étaient interposés et on cherchait à séparer les deux hommes.

— Si t'es pas capable de surveiller ta femme, c'est pas d'ma faute. Moi, quand je suis sorti, j'avais d'autres chats à fouetter.

— Ouais... comme planter un couteau dans le dos du patron, ricana Crevier. Je t'ai vu, derrière l'autobus.

— Et est-ce que j'étais avec ta femme?

— Pas à ce moment-là, elle avait eu le temps de se sauver. Mais c'est vrai, c'est peut-être lui qui a planté le couteau dans le dos du patron. Vous saviez ça, vous autres, que mon chum, icitte, mon chum, Martin Beauvais, eh bien, il avait investi cinq mille dollars dans l'usine. Il voulait devenir solide avec Landry. Il s'est fait fourrer, il a tout perdu, à cause de Garnier. Je vous dis qu'il l'a pas digérée, la nouvelle, quand elle a paru dans les journaux.

Puis, apercevant Michel, l'ivrogne s'écria:

— Toi, le détective, qu'est-ce que t'attends pour l'arrêter? C'est lui qui a tué Garnier. Christ! C'est clair comme de l'eau de roche.

— T'es saoul, tu sais pas ce que tu dis. Si je voulais parler... c'est vrai que j'étais derrière l'autobus et j'ai peut-être vu des choses...

— C'est ça, y est pas juste maquereau, y est menteur à part de ça. Dire que je le considérais comme un ami. Hé ! passe-moi à boire, j'ai soif.

Et Crevier s'éloigna avec deux ouvriers. Le calme revint.

— Ces deux-là, murmura Lucile, ils sont toujours pris aux cheveux et, au fond, ce sont les meilleurs amis du monde.

Juste à ce moment, Daniel Bourgeois s'avança et fit un signe à Michel qui s'excusa auprès de Lucile. Le jeune homme le prit à part.

— Vous avez entendu ce qui s'est dit ?

— Oui, j'ai pas perdu un mot, avoua Michel. Vous croyez que ce dénommé Beauvais puisse être le coupable ?

— Je l'ignore. Mais moi aussi, je l'ai vu près de l'autobus. J'ai causé avec monsieur Garnier en sortant de l'hôtel. On s'est dirigé tous les deux vers l'autobus. Il est monté et moi, je suis retourné vers l'hôtel pour rejoindre Fleurette.

— Et vous avez vu Beauvais ?

— J'ai vu madame Crevier qui courait, puis j'ai vu Beauvais, non loin de l'autobus. J'ai compris que ces deux-là avaient profité de l'absence du mari... mais là, ça change tout.

— Comment ça ?

— Beauvais, s'il n'a pas tué Garnier, peut aussi bien avoir vu quelque chose ou encore quelqu'un.

— C'est fort possible.

Bourgeois demanda, surpris :

— Vous l'interrogez pas ?

— Non. Le boss devrait pas tarder, la police provinciale non plus. Je leur ferai mon rapport et je les laisserai s'occuper des interrogatoires.

Gérald, le chauffeur, avait fermé et verrouillé la porte de l'autobus. Michaud était entré dans le chalet et, avec l'aide de deux des épouses des ouvriers, il s'affairait dans la cuisine à préparer le repas.

— Des voitures de la police provinciale arrivent.

— Je m'en occupe, fit Michel en sortant.

*
* *

Les sergents-détectives Laniel et Verdon étaient membres de l'escouade des homicides de la police provinciale. Quatre autres hommes les accompagnaient.

— C'est vous, Michel Beaulac ?

— Oui.

— Sergent-détective Laniel. J'ai parlé au Manchot, un peu plus tôt. Il m'a raconté en quelques mots ce qui s'était passé. Vous auriez jamais dû transporter tout ce monde ici.

— Je puis vous jurer que personne n'a touché au cadavre, assura aussitôt Michel. Je voulais empêcher les villageois de se grouper. Maintenant, pour vous, l'enquête sera beaucoup plus facile. Nous étions dix-sept à faire le voyage, et il reste plus que cinq suspects.

Le sergent-détective parut surpris :

— Comment ça ?

Juste à ce moment, Michel vit une voiture déboucher au bout du chemin de gravier. Immédiatement, il reconnut l'automobile du Manchot.

— Je vous expliquerai tout ça devant le boss. Le voilà.

Pendant que Laniel s'entretenait avec Michel, Verdon était entré dans l'autobus avec ses hommes et faisait les premières constatations.

Michel s'avança jusqu'au bord de la route. Il se rendit alors compte que le Manchot n'était pas seul. On pouvait apercevoir deux têtes dans la voiture. Plus l'automobile approchait, plus les deux têtes se dessinaient.

— Candy ! murmura-t-il. Pour quelle raison le boss l'a-t-il amenée ici ?

La voiture venait de s'arrêter. Le Manchot en descendit ; mais Candy, elle, demeura assise sur la banquette avant. Comme Michel s'approchait, elle lui cria :

— Tu pourrais te montrer poli et m'ouvrir la porte.

Déjà, le Manchot avait rejoint le sergent-détective Laniel et les deux hommes discutaient. Ils se dirigèrent vers l'autobus.

— Qu'est-ce que tu fais ici? demanda Michel.

La statuesque blonde répondit:

— Robert était nerveux. Et puis, il a dit qu'il fallait absolument réparer tes bêtises. Alors, je me suis offerte pour l'aider.

— Eh bien, tu peux retourner à Montréal immédiatement. Non seulement j'ai réparé ce que tu appelles mes bêtises, mais j'ai déjà résolu le mystère. Je tiens l'assassin.

Candy n'en croyait pas ses oreilles.

— Quoi? Déjà? Tu l'as fait arrêter? Mais tu es merveilleux, Michel, excuse-moi de t'avoir mal jugé.

Le jeune Beaulac baissa la tête, se fit hésitant:

— Il n'est pas arrêté... arrêté... C'est rien qu'une question de temps. Nous étions seize suspects; eh bien, il en reste seulement cinq.

Candy haussa les épaules.

— J'aurais dû m'en douter. Eh bien, ces cinq-là, ce sont des hommes?

— Quatre hommes et une femme.

— Bravo. Laisse-moi les hommes, je saurai bien les faire parler. C'est ma spécialité. Les pauvres mâles me résistent rarement.

Michel la quitta pour aller retrouver le Manchot qui causait avec les policiers.

— À première vue, disait justement Verdon, il ne semble pas y avoir d'empreintes digitales sur le poignard.

Le Manchot répliqua aussitôt :

— Je m'en doutais. L'assassin n'aurait pas laissé le couteau dans le dos de sa victime s'il n'avait pas porté de gants... ou encore, s'il n'avait pas entouré son couteau d'un morceau de linge quelconque, comme un mouchoir par exemple.

Laniel se retourna vers Michel.

— Je suppose que vous avez regardé sur le sol, autour de l'autobus, avant de quitter le village ?

— Non, je dois l'avouer.

— Si l'assassin s'est servi d'un torchon, il a dû s'en débarrasser. Maintenant, inutile de le chercher.

Déjà, les policiers se mettaient en communication avec les autorités. On devait envoyer une voiture de la morgue prendre possession du cadavre. Michel, en quelques mots, avait raconté de quelle façon on avait découvert le cadavre de Garnier.

— Je vais interroger les principaux témoins, fit Verdon : je veux dire la fille de la victime et l'épouse de son ancien partenaire...

— Elles sont innocentes, fit Michel à Verdon, elles ont pas quitté l'hôtel un seul instant. Au moment du crime, toutes les femmes, à

l'exception d'une, se trouvaient à l'intérieur...
Madame Crevier était la seule à être sortie.

Verdon lui fit signe de ne pas en dire plus long.

— Je préfère questionner tous les témoins et me faire ma propre idée.

Le Manchot prit une décision.

— Dans cet immense chalet, il doit bien y avoir une pièce où l'on peut parler sans risquer d'être dérangé?

— Oh! oui, c'est immense, carabine!

— Allons-y. Vous venez, Laniel? Michel va nous faire son rapport. Verdon commencera l'interrogatoire des témoins...

— Et moi, dans tout ça? demanda Candy.

— Fais-toi amie avec les femmes. Parfois, certaines sont curieuses et bavardes... Elles peuvent avoir vu des choses; questionne-les habilement. Gagne leur confiance, essaie de leur délier la langue.

Candy soupira en voyant s'éloigner les trois hommes.

— J'aurais sûrement plus de succès s'il me laissait interroger les hommes.

*
* *

On avait terminé le repas du soir. Les interrogatoires de Verdon n'avaient rien donné. Tous les témoins affirmaient n'avoir rien vu.

Daniel disait avoir laissé Garnier à la porte de l'autobus. Il avait bien vu Beauvais et madame Crevier, mais il ne croyait pas que ces deux-là aient pu pénétrèr dans l'autobus.

— Crevier est jaloux de sa femme et, justement, il s'approchait de l'autobus. C'est pour ça, d'ailleurs, que madame Crevier s'est enfuie rapidement.

Beauvais, qui laissait croire à tous qu'il avait vu quelque chose avoua à Verdon :

— J'ai dit ça pour me rendre intéressant, tout simplement. Je voulais détourner la conversation. Georges est jaloux, et il cherche des arguments pour se bagarrer.

— Donc, vous n'avez rien vu ?

— Rien et je peux pas avoir tué monsieur Garnier : j'étais avec Juliette.

— Qui est Juliette ?

— Madame Crevier.

— Quant à tous les autres, ils n'avaient rien vu. Cependant, plusieurs ouvriers affirmèrent que la mort de Garnier ne les peinait pas.

— C'était un patron très dur.

— Il nous a volés. On avait formé une coopérative. Il a même forcé Landry à se tuer.

— Maintenant qu'il est mort, le syndicat va pouvoir entrer dans l'usine ; c'est une bonne chose.

Même si Michel avait réussi à restreindre le nombre des suspects à cinq, le Manchot n'avait aucun soupçon précis.

— Michaud avait tout intérêt à voir disparaître Garnier, raisonnait-il. Il savait fort bien que jamais Fleurette ne serait devenue sa femme. Une fois Garnier disparu, Michaud et son syndicat auraient dirigé l'usine. Lui-même aurait eu un très gros poste.

— Il peut pas avoir tué, répliqua Michel ; il était toujours avec moi.

Madame Landry était également suspecte. Jamais elle n'avait pardonné à Garnier d'avoir ruiné son mari.

— Je savais qu'un jour la vérité éclaterait. Je voulais savoir exactement ce qui s'était passé. C'est pour cette raison que je suis demeurée en bons termes avec Roger Garnier. Mais je vous avoue que si j'avais pu le tuer, en fin de semaine, je l'aurais fait.

Le jeune Daniel, selon Michel Beaulac, devenait le suspect numéro un.

— Pourquoi dis-tu ça ? demanda le Manchot.

— Parce que lui, il avait tout intérêt à voir mourir Garnier. Fleurette hérite. Il va l'épouser, il sera riche, c'est lui qui deviendra le grand patron de l'usine.

Mais le Manchot lui fit remarquer que c'était Daniel lui-même qui avait retenu ses services.

— Crois-tu que s'il avait voulu tuer son patron, il se serait embarrassé de nous au cours de cette fin de semaine?

— Pour ça, vous avez raison.

Mais le Manchot, Michel et les détectives avaient beau analyser les faits sous tous les angles, on ne pouvait encore accuser personne.

C'est à ce moment que la jolie Candy s'approcha du groupe d'hommes.

— Alors, le travail, ça avance?

— Oui et non, murmura le Manchot.

— Eh bien, moi, j'ai appris des choses très intéressantes.

Elle désigna Beauvais.

— Cet homme-là en sait long.

— Allons donc, il veut se rendre intéressant, tout simplement. Nous l'avons interrogé, fit le sergent-détective Verdon.

Mais Candy avait un petit sourire énigmatique.

— Il a des choses à me confier. Il m'a dit avoir vu quelqu'un sortir de l'autobus. Il connaît l'assassin.

Michel murmura:
— Il te fait marcher.

Mais Candy continua:
— C'est pas tout. Il a déclaré que j'étais la femme de ses rêves, qu'il avait eu le coup de foudre pour moi.

Le Manchot ne put s'empêcher de rire. Candy se retourna vivement.

— Eh bien quoi ? Vous me croyez incapable d'inspirer de la passion à un homme ? Moi, je suis persuadée qu'il est sérieux. Il dit qu'il touchera le gros lot, très bientôt.

— Comment ça ?

— Il a vu l'assassin, mais il parlera pas. Il se fera payer pour garder le silence. Lorsqu'il aura touché le magot, eh bien, nous pourrons partir, tous les deux, et aller vivre dans un pays étranger.

Michel s'approcha du fauteuil où Candy s'était laissée tomber. Il glissa ses deux bras autour de son cou.

— Voyons, Candy, sois sérieuse. On est pas ici pour s'amuser. Tu as peut-être fait marcher ce nommé Beauvais... Mais crois pas avoir fait un coup d'éclat ; tout le monde dit que c'est un maquereau.

Candy se fit beaucoup plus sérieuse.

— Je suis pas folle. Il était passablement ivre quand il m'a parlé... Mais s'il disait vrai ? S'il en savait long... trop long ? S'il tentait de faire chanter l'assassin ? Moi, je le prends au sérieux, cet homme-là.

Chapitre VI

UNE NUIT AGITÉE

Le sergent-détective Laniel, après s'être concerté avec son collègue Verdon, décida de ne pas laisser d'homme au chalet pour la nuit.

— Robert Dumont est là avec ses deux assistants, nous pouvons leur faire confiance.

D'ailleurs, les deux policiers voulaient se rendre au village, pour questionner le patron de l'hôtel et chercher à savoir si des curieux n'avaient pas aperçu des choses suspectes. Après tout, un autobus arrêté à la porte d'un hôtel de campagne, ça ne passe sûrement pas inaperçu.

Daniel Bourgeois semblait avoir pris la direction des opérations. Avec l'aide de Fleurette, on avait réussi à distribuer toutes les chambres, opérant certains changements de dernière minute, vu l'arrivée du Manchot et de Candy.

Cette dernière coucherait à l'étage. Les dix chambres seraient occupées par les trois ouvriers et leurs femmes, Crevier et la sienne ; l'une irait à Beauvais et les autres au Manchot, à ses deux assistants, à Lucile Nadon et au chauffeur Gérald.

Comme Lucile Nadon avait insisté pour obtenir une chambre près de celle de Michel, ce dernier se trouvait encadré par le Manchot et la jolie secrétaire. Les deux chambres du bout seraient occupées, l'une par Crevier et l'autre par un des trois ouvriers, chacun accompagné de sa femme.

De l'autre côté du corridor, cinq autres chambres. Candy couchait en face de celle de Michel. Beauvais était à sa droite et Gérald à sa gauche. Les autres ouvriers et leurs femmes avaient été placés dans les chambres à l'autre bout du corridor.

Candy ne put s'empêcher de dire à Michel :

— C'est comme rien, on doit me connaître. T'as vu ça ? De chaque côté de moi, un homme seul et, en face, toi. Si je m'ennuie cette nuit, c'est parce que je le voudrai bien.

— J'espère que tu nous feras pas honte.

— Inquiète-toi pas pour moi. Je sais me conduire.

Le couple Crevier monta le premier, vers dix heures. L'ouvrier syndicaliste avait beaucoup trop bu et on dut même l'aider à gagner sa chambre. « Et dire qu'il y a pas si longtemps, songea Michel, j'avais le même problème que lui. J'aime mieux plus y penser. »

Lorsque Crevier eut disparu, Beauvais déclara à tous ceux qui se trouvaient là :

— Vous savez, Georges est pas un si mauvais diable. Mais on dirait qu'il craint de faire face aux réalités de la vie. Depuis qu'il a lu l'article dans le journal *Échos-Choc*, il a pas cessé de boire. Il s'est rendu compte, brusquement, que nous nous étions tous fait rouler par monsieur Garnier.

Un des ouvriers ajouta :

— Je m'en souviens. Crevier nous avait tous encouragés à souscrire à des actions dans les fonds de l'usine. Heureusement, moi, j'ai perdu rien que deux cents dollars.

Daniel éleva la voix.

— Messieurs, même si nous en parlions durant des heures, nous ne pourrions rien y changer. J'ai longuement causé avec mademoiselle Fleurette. Je vais prendre temporairement la direction de l'usine.

Il y eut diverses réactions, mais le Manchot remarqua que la plupart des ouvriers paraissaient appuyer cette décision.

— Et moi, demanda brusquement Michaud, qu'est-ce que je vais devenir dans tout ça? N'oubliez pas, Bourgeois, que nous devions en venir à une entente, en fin de semaine, au sujet de la fondation de notre syndicat.

— Nous en discuterons la semaine prochaine, fit Daniel; mais je suis en faveur de l'union ouvrière.

Cette fois, tout le monde parut satisfait.

— Présentement, il y a six personnes au bureau de direction de l'usine. Ils tiendront une réunion lundi.

— Je fais partie de ce comité, dit Michaud, oubliez pas ça dans vos prières.

— On le sait.

— Mais vous, vous n'en faites pas partie.

Cette fois, Fleurette prit la parole. Elle semblait très fatiguée. Elle n'élevait pas la voix comme les autres.

— Jusqu'à nouvel ordre, dit-elle, Daniel Bourgeois remplacera papa. Je suis la seule héritière et je lui délègue mes pouvoirs.

Beauvais demanda, avec un petit air moqueur :

— Cela veut-il dire que nous allons assister à un mariage bientôt?

Un autre ouvrier lui coupa la parole.

— Niaiseux! Avant de parler de mariage, nous allons toujours bien assister aux funérailles du patron.

Cette remarque jeta un froid dans l'assistance. Fleurette le rompit enfin en se levant.

— Je vais me coucher, dit-elle. Je suis épuisée.

Daniel alla la reconduire jusqu'à sa chambre. D'ailleurs, lui, Michaud et la fille du grand patron avaient pris les chambres du rez-de-chaussée. Lorsque Daniel fut revenu, ce fut au tour du Manchot de se lever.

— Mademoiselle Garnier a eu une excellente idée. Tout le monde est fatigué, moi le premier. Demain, les policiers devraient être ici très tôt. Alors, si on allait dormir?

Tous approuvèrent. Deux des femmes des ouvriers offrirent de se lever tôt pour préparer le déjeuner de tout le monde.

— Il y a des provisions en quantité. D'ailleurs, moi aussi, je vais me lever très tôt.

Daniel promit à tous de bien fermer les portes du chalet. Lorsque tout le monde fut monté, aidé de Michaud, il mit quelques bûches dans la cheminée, car ces premières nuits de printemps n'étaient pas chaudes.

Bientôt, les deux hommes se séparèrent, entrant chacun dans sa chambre. Seule une petite ampoule était restée allumée près du long escalier menant à l'étage. Le grand living-room paraissait lugubre, beaucoup trop vaste. Les lueurs du foyer projetaient des ombres sur les murs. On entendait crépiter le bois dans la cheminée.

Michel s'était étendu sur son lit, tout habillé. « Torrieu ! il est même pas onze heures. Je pourrai jamais m'endormir à cette heure-là. »

Il décida quand même de se dévêtir, sortit un pyjama de sa valise, puis enfila sa robe de chambre. Il prit ensuite son calepin et se mit à consulter la liste des invités.

« Ça ne sert à rien ; j'ai beau étudier tous ces noms... Je vois pas du tout qui a pu assassiner Garnier. Les mobiles manquent pas, je dirais même que tous en possèdent un bon. Fleurette héritera de son père ; Daniel pourra épouser celle qu'il aime et devenir riche ; Michaud pourra fonder son syndicat ; tous les ouvriers seront plus heureux. Oui, la mort de Garnier arrange bien des choses. »

Il songea soudain à la jolie Lucile Nadon. La jeune fille plaisait à Michel. Elle avait su lui faire quelques compliments qui lui étaient allés directement au cœur.

« C'est rare qu'une femme me trouve beau... Pourtant, carabine, je suis pas laid. Cette fille a plus de goût que la majorité. »

Pouvait-elle être une criminelle ? Elle disait ne pas être sortie de l'hôtel. « Mais elle a quand même un excellent mobile, comme les autres. Première secrétaire, elle deviendra encore plus indispensable à l'usine. Je serais pas surpris si elle obtenait un très haut poste. »

Michaud avait engagé des fiers-à-bras. Si seulement ces hommes n'étaient pas demeurés dans la taverne, avec Michel, il les aurait tout de suite soupçonnés et...

Soudain, Michel s'arrêta d'écrire. « Après tout, pensa-t-il, Michaud m'a peut-être pas dit toute la vérité. Et s'ils étaient plus que trois ? Qui me dit que d'autres fiers-à-bras sont pas venus dans une seconde voiture ? »

Il se leva et alla coller son oreille contre le mur de la chambre de gauche, où reposait le Manchot. « Il a l'air déjà couché. On entend absolument rien. Pourtant, on aurait pu causer de tout ça, ensemble. On a toujours dit que deux têtes valent mieux qu'une. »

Debout, maintenant, près de son lit, Michel regarda l'autre mur. C'est dans cette chambre que se trouvait Lucile, la jolie secrétaire qui semblait avoir le béguin pour lui.

Il alla coller son oreille contre le mur. Il entendit du bruit. « Elle dort pas, conclut-il. Je peux aller frapper à la porte de sa chambre, l'inviter à causer... et ensuite, on verra. »

Il se décida aussitôt. Le Manchot devait déjà dormir. Il suffisait d'éviter le bruit, afin de ne pas attirer l'attention.

Il ouvrit doucement la porte de sa chambre. Il allait sortir dans le corridor lorsque, soudain, la porte de la chambre voisine s'ouvrit. Michel n'eut que le temps, avant de pousser rapidement sa porte, de voir sortir Daniel Bourgeois. « Mais qu'est-ce qu'il peut être allé faire dans la chambre de la secrétaire du patron ? »

Michel ne bougeait pas. Sa porte était restée entrebâillée. Il n'osait pas la pousser, de peur que la serrure ne fasse entendre un déclic.

Il entendit un bruit sec, à quelques pas de lui. Il jeta un coup d'œil dans l'entrebâillement, mais il ne voyait qu'un côté du corridor.

— Oui, qu'est-ce que c'est ?

Michel venait de reconnaître la voix du Manchot.

— Je pourrais vous causer, monsieur Dumont ?

Aucune erreur, il s'agissait bien de Daniel Bourgeois. Après être allé rendre visite à Lucile Nadon, voilà que maintenant il voulait causer avec le Manchot. « Qu'est-ce qu'il peut bien lui vouloir ? »

Michel entendit la porte de la chambre se refermer. Il alla coller son oreille contre le mur qui séparait les deux pièces, mais il ne pouvait percevoir que des murmures indistincts.

Il songea de nouveau à Lucile. Non, il ne voulait pas prendre le risque de se rendre à sa chambre. Daniel était peut-être allé demander un renseignement au Manchot et il pouvait fort bien retourner voir la secrétaire. « Ça ferait jaser les gens. »

Il y avait bien Candy, juste en face... « Mais telle que je la connais, je serais surpris si elle était seule... »

*
* *

Michel n'aurait pas dû juger sa collaboratrice. Candy était bien seule dans sa petite chambre. Cependant, tout comme le grand Beaulac, elle n'avait pas sommeil. De plus, elle se sentait curieusement nerveuse. Elle savait qu'un assassin devait se trouver parmi eux, dans la maison. « Et dire que je suis là, à m'ennuyer, pendant qu'il y a deux hommes, seuls, de chaque côté de moi ! »

Elle songea à Martin Beauvais. Ce dernier lui avait laissé savoir, sans équivoque, qu'il avait été attiré par sa beauté. Il avait même parlé de coup de foudre. Mais devait-elle le prendre au sérieux ? Beauvais s'était querellé avec Crevier qui l'accusait de faire la cour à son épouse. « Il est peut-être comme ça avec toutes les femmes. »

Dans l'autre chambre, il y avait Gérald, le conducteur de l'autobus, un type bien bâti, un beau garçon ; mais malheureusement, il n'avait pas semblé attacher beaucoup d'importance à la présence de Candy. « On dirait même que ce type-là s'intéresse pas aux femmes. »

Candy cherchait à dormir, mais elle ne parvenait pas à fermer l'œil. Elle aurait tant aimé sentir la chaleur du corps d'un homme près du sien. La nouvelle recrue du Manchot ne se cachait pas pour dire qu'elle avait fortement besoin d'affection. Elle ne sortait pas avec les premiers venus, mais elle avait véritablement le choix. Si elle se trouvait un peu grassette, les hommes, par contre, semblaient adorer ses formes plantureuses.

« Je pourrai pas dormir de la nuit », constata-t-elle en s'asseyant dans son lit.

Juste à ce moment, elle entendit un éclat de voix et elle dressa l'oreille. On aurait dit des personnes qui se chamaillaient. Elle se leva, se rendit à la porte, l'entrouvrit et écouta. Mais tout était redevenu silencieux.

Elle retourna lentement à son lit. Soudain, elle songea à Michel. Candy se coucha et glissa ses mains dans ses longs cheveux blonds. Elle se souvenait d'une nuit où elle avait reçu Michel à son appartement. Il n'avait pas été question de sentiments entre eux. Ils avaient fait l'amour et Michel s'était montré un amant de première force. « Mais, c'est pas le genre d'homme que j'aimerais comme mari. Comme amant, oui, pas comme mari. »

Elle se décida brusquement et sortit à nouveau de son lit. Cette fois, elle enfila son déshabillé de nylon qui cachait très mal sa nudité à peine voilée par son baby-doll excessivement décolleté. « Il demandera sûrement pas mieux que de me recevoir. »

Non, elle n'allait pas passer la nuit seule, pas avec tous ces hommes autour d'elle. Elle se connaissait trop bien.

Candy allait ouvrir la porte de sa chambre lorsque, de nouveau, des éclats de voix retentirent. Cette fois, elle entendit nettement une femme crier. Le bruit de voix s'intensifia. Des portes s'ouvrirent. Candy n'hésita pas et sortit dans le corridor. Elle aperçut immédiatement, dans la lumière qui tombait par leur porte de chambre grande ouverte, Crevier qui tenait solidement sa femme par les deux poignets. Cette dernière criait.

Beauvais était rapidement sorti de sa chambre et cherchait à séparer le couple.

— Toi, Martin, mêle-toi pas de ça.

— Lâche-la tout de suite, tu entends ?

Madame Crevier pleurait.

— Il m'a frappée. C'est une brute. Je vais te faire arrêter.

— Essaie, christ, essaie. C'est toi qui iras en prison, maudite putain !

De nouveau, il chercha à frapper sa femme. Mais des ouvriers également sortis de leurs chambres séparèrent le couple.

Michel, le Manchot et Gérald apparurent à leur tour.

— Allons, qu'est-ce qui se passe ici? demanda le Manchot.

Le détective privé était le seul à n'être pas en robe de chambre. Il avait encore sa chemise et son pantalon. En apercevant le Manchot, madame Crevier se jeta dans ses bras.

— Sauvez-moi, je vous en prie, il est devenu fou. C'est toujours la même chose quand il boit trop.

Michel s'était approché, lui aussi.

— Rentrez dans votre chambre tout de suite, dit-il à Crevier.

— Toi, le grand sec, mêle-toi de ce qui te regarde.

— Justement, calvaire, ça me regarde! Les policiers nous ont demandé de faire observer la paix dans cette maison. J'ai dit dans ta chambre, pis vite à part ça!

Et brusquement, il saisit Crevier au collet et au fond de culotte. Ce dernier voulut se débattre, mais Michel avait une poigne d'acier. Il soulevait littéralement Crevier de terre. Un des ouvriers ouvrit la porte de la chambre et l'assistant du Manchot le lança sur le lit.

— La prochaine fois que tu oseras lever la main sur une femme, c'est à moi que tu auras affaire. Compris?

Avant de refermer la porte, il ajouta:

— Que je te voie pas ressortir de ta chambre, ou je t'aplatis comme une crêpe!

La porte claqua.

— Et vous autres, ajouta-t-il, restez pas là comme des imbéciles; allez vous coucher.

Le Manchot ne pouvait faire autrement que d'admirer le sang-froid de son collaborateur. Tous semblaient le craindre. Personne n'osait le défier.

Beauvais retourna vers sa chambre mais, avant d'y entrer, il demanda au Manchot:

— Qu'est-ce que vous allez faire d'elle?

Madame Crevier pleurait toujours dans les bras du Manchot. Beauvais avait raison. Il fallait s'occuper de cette femme. Rapidement, le détective jeta un coup d'œil dans la chambre de Candy.

— Bon, tu as un lit double. Madame Crevier couchera avec toi.

Candy bondit:

— Quoi? Avec moi!

— Je ne peux quand même pas la faire retourner dans la chambre de son mari!

Candy comprit qu'elle devait obéir aux ordres du Manchot.

— Bon, soupira-t-elle, je vais m'en occuper.

Michel esquissa un sourire. Candy avait sûrement d'autres idées derrière la tête. Elle fit passer madame Crevier dans sa chambre, puis, avant de refermer la porte, elle se tourna brusquement vers Beaulac.

— Qu'est-ce que t'as à rire, toi?

— Mais rien, rien...

— Tu sais pourquoi je suis sortie si rapidement de ma chambre?

— Non.

— Essaie d'imaginer...

Et elle referma la porte.

— Quelle nuit! murmura Candy en jetant un coup d'œil sur madame Crevier qui s'était étendue sur le lit et qui continuait de pleurer. «Et moi qui songeais à passer la nuit dans les bras d'un homme!»

Dans le corridor, il ne restait plus que Michel et le Manchot.

— Hé! boss... Excusez-moi... Mais tout à l'heure, j'ai vu le jeune Daniel Bourgeois entrer dans votre chambre. Est-ce qu'il est toujours là?

— Oui, je lui ai demandé de ne pas sortir. Il veut me parler de diverses choses. Oublie pas que c'est lui qui nous a engagés.

— Je sais.

— J'espère pouvoir lui parler, cette fois, sans risque d'être dérangé.

106

Et le Manchot se glissa dans sa chambre, fermant la porte derrière lui. Michel était maintenant seul dans le corridor. Il allait ouvrir sa porte lorsque, soudain, il se sentit saisir par le bras. Il se retourna rapidement. Lucile Nadon, la jolie secrétaire, venait de sortir de sa chambre. Elle mit un doigt sur ses lèvres, indiquant à Michel de ne pas faire de bruit.

— Venez !

Et avant même qu'il puisse réagir, déjà, elle le tirait dans sa chambre et fermait la porte derrière elle.

Chapitre VII

L'ASSASSIN N'A PAS SOMMEIL

Candy avait cherché, par tous les moyens, à calmer madame Crevier qui continuait toujours de pleurer.

— Je sens bien que c'est fini entre mon mari et moi.

— Le temps passe, il est près de minuit, il nous faut absolument dormir.

— Je ne pourrai jamais.

Puis, elle chercha à se relever.

— Que faites-vous? demanda Candy.

— Je suis incapable de rester au lit.

Cette fois, Candy se dressa sur son séant.

— Écoutez, moi, je commence à en avoir assez. La nuit, madame, c'est fait pour dormir ou encore, pour faire l'amour. Comme je suis pas une lesbienne, on va dormir. C'est clair?

Et elle avait parlé très durement.

— Excusez-moi, je suis tellement nerveuse, avec tout ce qui s'est passé aujourd'hui!

Elle sembla hésiter, puis demanda:

— Est-ce que vous pourriez me donner une cigarette? Si je fume, ça va me calmer. Ensuite, je pourrai dormir.

— Bon, si c'est tout ce qui vous manque, moi, je demande pas mieux.

Candy alla chercher son paquet de cigarettes et son briquet dans son sac. Madame Crevier plaça l'oreiller de côté et s'assit droit dans le lit.

— Merci, vous êtes gentille.

Tant qu'à ne pas dormir, Candy décida de questionner la femme. Elle était près de l'autobus au moment du meurtre de Garnier. Elle n'avait peut-être pas tout dit aux policiers.

— C'est sérieux entre Martin Beauvais et vous?

Elle avait les yeux baissés. Elle hésitait, comme si elle était gênée de répondre à Candy.

— Oh! vous savez, moi, fit la fille blonde, je suis pas ici pour juger la conduite des gens. Mais si vous voulez pas dormir avec quelque chose qui vous tracasse, vous faites beaucoup

110

mieux de tout me raconter. Craignez rien, ça restera entre nous.

Après avoir laissé échapper deux ou trois profonds soupirs, elle avoua :

— Martin et moi... enfin, ce n'est peut-être pas de l'amour... Mais vous comprenez, je suis tellement seule. Pour mon mari, il n'y a que le travail, sa bière et ses amis ; moi, je ne compte pas. Martin, lui, il est gentil et...

— Alors, quand vous êtes sortie de l'hôtel, vous étiez avec lui ?

Elle approuva de la tête.

— Et votre mari vous a surpris ?

— Oui... et non. Georges était allé aux toilettes. Monsieur Garnier nous a demandé de terminer nos verres, de prendre notre temps, mais de retourner dans l'autobus quand nous aurions terminé.

Elle prit quelques bouffées de sa cigarette, puis, beaucoup plus calme, elle continua son récit.

— Martin m'a alors demandé de l'accompagner tout de suite dans l'autobus. Il m'a dit comme ça : « Les autres ne sortiront pas tout de suite. Nous allons pouvoir être seuls quelques minutes. » J'étais mal à l'aise. Georges pouvait revenir et prendre mal la chose. Mais Martin a toujours réponse à tout. Il m'a dit, comme ça : « Nous dirons à Georges que monsieur Garnier nous a demandé de retourner à l'autobus et, comme nous avions terminé nos verres, nous n'avons pas voulu en commander d'autres. » Et nous sommes sortis. Mais en arrivant près de l'autobus, nous avons vu monsieur Garnier. Il causait avec Daniel. J'ignore si tous les deux sont montés. Nous ne voulions pas nous faire voir. Rapidement, nous sommes passés par l'arrière de l'autobus et c'est à ce moment que j'entendis crier mon mari. Il me cherchait.

— Qu'avez-vous fait?

— « Vite, sauve-toi », a dit Martin. Alors, j'ai couru à l'avant de l'autobus. Mais je n'ai pas couru assez vite, et mon mari m'a vue. Il est venu vers moi. Il m'a demandé si Martin était là.

— Et où était monsieur Beauvais?

— Je ne sais pas, je ne le voyais plus. À un certain moment, j'ai pensé qu'il pouvait être monté dans l'autobus. Mais je me suis trompée.

— Comment ça?

— C'est impossible. S'il était monté dans l'autobus, ce serait lui qui...

Elle plaça ses mains sur son visage.

— Non, non, je ne veux pas le croire. Je suis certaine que Martin a simplement fait le tour. Mon mari et moi, nous sommes retournés vers l'hôtel, puis, c'est quelques instants plus tard qu'on a entendu des cris... Et... je crois que vous savez le reste. C'est épouvantable. Je suis montée dans l'autobus. Je l'ai vu... j'ai vu le sang...

Et elle se remit à pleurer.

— Oh non ! Dites-moi pas que vous allez recommencer !

— Non, non, c'est fini. Je suis beaucoup plus calme, beaucoup plus.

Candy écrasa sa propre cigarette dans le cendrier, placé sur la table de chevet.

— Je me demande si... commença-t-elle.

— Si quoi ?

— Si monsieur Beauvais aurait pas vu quelque chose. Vous vous souvenez de ce qu'il a dit, n'est-ce pas ? Il m'a même laissé entendre qu'il croyait avoir la chance de toucher un gros montant. Il était peut-être sérieux.

— Comment ça ?

— S'il connaît l'assassin, il peut chercher à le faire chanter.

Madame Crevier s'écria :

— Mais c'est justement ce que je tentais d'expliquer à Georges tout à l'heure. Je suis entièrement de votre avis, mademoiselle. Et j'ai peur, j'ai très peur. Si Martin essaie de faire chanter l'assassin, tout peut arriver.

— Et que pense votre mari de tout ça ?

— Il s'est fâché, disant que je m'intéressais beaucoup plus à Martin qu'à lui. Il croit que Martin nous a tous trompés pour se rendre intéressant, se rendre important et il dit que moi, je me laisse influencer, que je ne pense qu'à Martin, que je m'intéresse à son bien-être, que je crains pour lui parce que je l'aime... Enfin, toutes les bêtises qui ont amené cette dispute. J'ai protesté, Georges s'est mis à m'injurier, puis il m'a frappée...

Après un moment de silence, elle ajouta :

— Mais il avait trop bu. Alors, je lui pardonne.

Elle soupira longuement.

— J'ai passé ma vie à tout lui pardonner. Il m'a trompée à de nombreuses reprises, j'ai passé l'éponge. Et un jour, parce que moi, je me permets de lui rendre la monnaie de sa pièce, eh bien, je deviens une fille de rien.

Candy s'approcha d'elle.

— Comment vous sentez-vous ?

— Mieux, beaucoup mieux. Ça m'a fait du bien de tout vous dire.

— Vous allez pouvoir dormir ?

— Oui, je crois.

— Moi pas, il faut absolument que Martin Beauvais me dise tout ce qu'il sait. Il doit me le dire dès cette nuit. Vous voulez que je le protège, n'est-ce pas ?

— Oh oui !

Candy l'aida à se mettre au lit.

— Promettez-moi d'être raisonnable et d'essayer de dormir. Je vais aller causer avec monsieur Beauvais et...

La jolie blonde hésitait à dire le fond de sa pensée.

— Il se peut que ce soit... enfin, assez long. Au début, il ne voudra rien dire. Vous me faites confiance, n'est-ce pas?

— Oui, oui, je sais que vous, vous pouvez sauver Martin... Si toutefois il est en danger; mais j'ai peur, très peur.

Candy mit lentement son déshabillé.

— Ne dites à personne que je suis sortie cette nuit. Ça évitera toutes les histoires. Si l'on sait que nous n'avons pas passé la nuit ensemble, votre mari pourra supposer des tas de faussetés. Vous ne direz rien, n'est-ce pas?

— Comptez sur moi et bonne chance.

Candy attendit au moins cinq minutes. Madame Crevier avait enfin fermé les yeux et paraissait pouvoir dormir. C'est alors que la jolie blonde sortit de sa chambre à pas feutrés et se dirigea vers celle de Beauvais.

*
* *

Le Manchot sentait le jeune Daniel Bourgeois fort mal à l'aise.

— Alors, je vous écoute, monsieur Bourgeois. Que désirez-vous au juste?

Il hésita, puis demanda:

— L'enquête, ça avance, vous avez découvert quelque chose? Les policiers soupçonnent quelqu'un?

— Oui.

Daniel devint encore plus pâle.

— Qui?

— Tout le monde. C'est la règle générale, vous savez. Nous soupçonnons un peu tout le monde et nous éliminons des noms, petit à petit.

Les mots semblaient se bousculer dans la bouche de l'amoureux de Fleurette. Il bégayait.

— Je suppose que... enfin, je suis... le premier soupçonné?

— Je vais être franc avec vous. Les policiers vous soupçonnent plus que les autres, je dois vous l'avouer.

— Et vous?

— Si vous aviez eu l'intention de tuer le père de votre amie, m'auriez-vous engagé pour le protéger? Je ne le crois pas.

La figure du jeune Bourgeois s'éclaira d'un sourire. Maintenant, il respirait plus à l'aise.

— Vous avez bien raison.

— Je voudrais, cependant, que vous continuiez à être franc avec moi. Les policiers vous ont posé bien des questions et, pourtant, vous n'avez donné aucune précision. Vous avez reconduit monsieur Garnier jusqu'à l'autobus, puis vous y êtes retourné avec Fleurette.

— C'est bien ce qui s'est passé.

— Vous avez dit n'avoir vu personne, n'avoir croisé aucun des autres invités.

— Non.

— Et pourtant, Beauvais et madame Crevier vous ont vu. Ils l'ont dit. Madame Crevier est passée près de la porte, vous avez dû la voir.

— Oui, je l'ai vue passer, avoua Daniel, mais je ne croyais pas que c'était important. Voyez-vous, ce n'est sûrement pas une femme qui a pu tuer monsieur Garnier.

— Pourquoi dites-vous ça?

— Parce que monsieur Garnier aurait pu se défendre. Il a été frappé à deux reprises et, selon le médecin qui accompagnait les policiers, la première blessure n'était pas mortelle.

Robert Dumont ne put s'empêcher de déclarer:

— Justement, un homme n'aurait peut-être eu besoin que d'un seul coup. Mais revenons à vous. Vous arrivez à la porte de l'autobus avec monsieur Garnier. À ce moment, vous n'avez pas vu Gérald?

Daniel parut de nouveau étonné.

— Mais c'est vrai, j'avais oublié d'en parler.

— Les policiers ne seront guère contents de constater que vous avez oublié tant de choses, monsieur Bourgeois.

— Mais c'est normal. Avec tout ce qui s'est passé, on est nerveux, on ne pense pas à tout.

Gérald passe inaperçu, ce n'est pas un invité comme tout le monde : c'est le chauffeur.

Le Manchot avait pris son calepin et il ajouta quelques notes, pendant que Bourgeois continuait :

— Maintenant, mes idées sont plus claires. Je me rappelle tout. Monsieur Garnier a demandé à Gérald d'ouvrir la porte, puis il lui a dit de retourner à l'hôtel et de voir à ce que les autres ne s'attardent pas. Gérald est parti aussitôt après avoir ouvert la porte.

Le Manchot l'arrêta.

— S'est-il servi d'une clef, de quelque chose, pour ouvrir la porte ?

— Tiens, maintenant que vous me le dites, ça me frappe. À Montréal, j'ai vu Gérald ouvrir la porte. Je ne sais pas s'il avait une clef, mais il a glissé sa main sous la porte, probablement pour tirer un loquet. Mais là, il n'a eu qu'à tirer sur la porte.

— Donc, on peut conclure que n'importe qui pouvait faire comme lui.

Daniel s'énervait de nouveau :

— Vous avez entièrement raison. Maintenant, je suis presque certain que l'assassin devait se trouver à l'intérieur de l'autobus. Il était entré et avait refermé la porte derrière lui. Peut-être qu'il ne voulait pas, à ce moment, tuer monsieur Garnier ; mais quand il l'a vu s'installer, seul, dans l'autobus, il a compris que c'était sa chance.

— C'est justement à ça que je songeais.

Mais Daniel eut beau rassembler ses souvenirs, il ne pouvait se rappeler lesquels, exactement, parmi les invités, se trouvaient encore dans l'hôtel quand il y était retourné.

— Votre assistant, Beaulac, et Michaud étaient là, plus Fleurette et Lucile... Je parle de mademoiselle Nadon, la secrétaire. Les autres, je ne me rappelle pas. Il devait y avoir des ouvriers, leurs femmes, je ne pourrais pas dire. Nous sommes sortis quelques minutes plus tard et ce fut la découverte du cadavre.

Le jeune homme avoua ensuite qu'il était inquiet pour Fleurette.

— Un des policiers m'a posé plusieurs questions à son sujet, justement à cause de l'article paru dans le journal. Il m'a demandé si Fleurette s'entendait bien avec son père, si elle était l'héritière. Il avait entendu des choses, sans doute répétées par les ouvriers. On m'a demandé si c'était vrai que je devais épouser Fleurette et que son père parlait de la déshériter.

Surpris, le Manchot demanda :

— Comment les ouvriers ont-ils pu apprendre ce qui s'était passé entre Fleurette et son père ?

— Quand la nouvelle a paru dans le journal, tout le monde s'est posé des questions. Pour se défendre, Garnier lui-même a dit que c'était un coup monté par sa fille pour lui forcer la main, afin qu'elle puisse m'épouser. Je suis le seul à servir d'alibi à Fleurette. On a voulu savoir si elle ne nous avait pas accompagnés, monsieur Garnier et moi, si elle n'était pas montée dans l'autobus avec son père pour en redescendre et revenir à l'hôtel, avec moi.

Pour la troisième fois peut-être, Daniel jeta un coup d'œil à sa montre.

— Je crois que nous devrions nous coucher, fit le Manchot en se levant. La nuit porte conseil. Demain, nous y verrons peut-être plus clair.

— Oh! je n'ai pas du tout sommeil, vous savez. J'aime bavarder avec vous. Et puis, déjà, nous avons pu comprendre bien des choses. Continuez à me poser des questions, monsieur Dumont. Je finirai peut-être par me souvenir de tout.

— Non, je suis fatigué, moi. J'ai quitté la ville en vitesse, j'ai conduit très rapidement sur la route. Je me suis même trompé de chemin en arrivant à Val-David. Tout ça, si vous y ajoutez les événements qui se sont produits...

Les deux hommes restèrent figés. Un cri déchirant venait de retentir dans le corridor. D'un bond, le Manchot se précipita à la porte et l'ouvrit. Daniel le suivait de près. Candy était debout dans la porte d'une des chambres.

C'est elle qui criait. Juste à ce moment, Michel parut, le torse nu, ne portant que son pantalon de pyjama.

— Qu'est-ce qui se passe? fit le jeune homme.

— D'où sors-tu, toi?

Mais immédiatement, il eut la réponse en voyant paraître Lucile Nadon derrière lui. Le Manchot comprit que ce n'était pas le temps de demander des explications.

Déjà, presque tout le monde était dans le corridor.

— Candy, qu'est-ce qu'il y a?

Elle montra la porte de la chambre.

— Je... je voulais parler à... Beauvais... j'ai ouvert la porte...

Des femmes crièrent à leur tour. Le Manchot n'eut pas besoin d'autres détails. Il avait aussitôt gagné la porte où se tenait Candy et il pouvait voir, entre l'encadrement de bois et la jeune femme qui s'effaçait pour le laisser passer, Martin Beauvais étendu sur son lit, dans une large flaque de sang.

— Michel, empêche les gens d'entrer dans la chambre.

Le détective s'avança vers le lit. Cette fois, l'assassin avait rapporté l'arme du crime avec lui. Beauvais avait reçu plusieurs coups de couteau, à la poitrine et à la gorge. Il devait sans doute s'agir d'un petit couteau à fine lame, un instrument terriblement tranchant, à en juger par les blessures.

Le Manchot jeta un coup d'œil sur les yeux de Beauvais, lui soulevant légèrement les paupières. Puis, prenant son pouls, il se tourna vers Michel et hocha affirmativement la tête. Enfin, sortant un mouchoir de sa poche, il retourna vers la porte. Il plaça le mouchoir autour de la poignée afin de refermer la porte sans en effacer les empreintes qui pouvaient s'y trouver.

— Voulez-vous me dire ce qui se passe ?

Michaud venait d'apparaître dans l'escalier. Candy, dans les bras de Michel, reprenait son calme petit à petit. Daniel s'avança vers Michaud pour lui déclarer :

— Beauvais n'avait pas menti : il connaissait l'assassin. Il a sans doute voulu le faire chanter. Il l'a payé de sa vie.

Chapitre VIII

L'ARME DU CRIME

Le Manchot, rapidement, regarda autour de lui. Tout le monde était là, à l'exception de Fleurette.

— Bourgeois, allez voir si elle est toujours couchée.

— Probable, monsieur Dumont. Sur mes conseils, elle a pris deux somnifères.

— Allez vérifier quand même. Si elle dort, vous pouvez rentrer dans votre chambre. Cette fois, les policiers ne pourront plus vous accuser, puisque vous étiez avec moi.

Michaud voulut descendre avec Daniel, mais le Manchot l'en empêcha.

— Non, restez ici, j'aurai peut-être quelques questions à vous poser.

Madame Crevier était enfin sortie de la chambre de Candy. Elle regardait autour d'elle d'un air hagard. Elle entendait les murmures. On parlait d'un nouveau crime.

— Georges ! cria-t-elle. C'est Georges qui a été tué ?

Le Manchot constata alors que Georges Crevier n'était pas dans le groupe.

— Il est dans votre chambre, madame.

Sans attendre, Dumont ouvrit la porte de la chambre de Crevier. Un ronflement sonore retentit jusque dans le corridor.

— Ne craignez rien, madame, votre mari est en parfaite santé, dit le Manchot à madame Crevier.

Il secoua le dormeur, mais Crevier ne s'éveilla même pas.

— Carabine ! C'est pas surprenant, il est complètement gelé.

Mais le Manchot ajouta :

— Ou il fait mine de l'être. Nous verrons plus tard.

Il sortit de la chambre en refermant la porte derrière lui. Mais à peine dix secondes plus tard, il l'ouvrit de nouveau. Crevier continuait de ronfler ; il n'avait pas bougé du tout.

Madame Crevier poussa un cri :

— Mais alors... si ce n'est pas mon mari... c'est...

Des ouvriers durent la soutenir. La femme venait de deviner la vérité.

Le Manchot s'approcha de ses collaborateurs.

— Comment te sens-tu, Candy ; remise un peu de tes émotions ?

— Oui, oui ; maintenant, ça va.

— Tu peux t'occuper d'elle ?

— Encore !

— Descends dans la grande salle à manger. Demande à Daniel Bourgeois, je crois qu'il possède des somnifères. Du moins, Fleurette Garnier en a. Donnes-en une couple à madame Crevier. Dis-moi, tu es toujours demeurée avec elle ?

— Oui, elle m'a parlé de Beauvais. Il ne blaguait pas ; il connaissait l'assassin, j'en suis certaine. Alors, j'ai voulu l'interroger et c'est alors que...

Michel voulut apporter son concours.

— Boss, je vais descendre avec Madame Crevier. Candy doit aller s'habiller et...

— Et toi, répliqua vivement la fille, avec ton torse nu, tu penses que t'es mieux ?

Le Manchot arrêta rapidement la discussion.

— Michel, va passer ta robe de chambre ; toi, Candy, va te vêtir. Ce n'est pas un concours de strip-tease que nous faisons. Pour le moment, il y en a qui s'occupent de madame Crevier. Mais faites vite.

Déjà, Candy était disparue dans sa chambre. Michel allait s'éloigner lorsque le Manchot lui demanda :

— Dis-moi, tu étais en compagnie de la secrétaire ?

— Mais boss...

— Je n'ai pas à te juger. Je vérifie simplement les alibis.

— Eh bien, vous pouvez rayer son nom de la liste des suspects, pour ce second meurtre. Nous ne nous sommes pas quittés depuis que... Enfin, depuis que tout le monde est retourné dans sa chambre.

Michel s'éloigna en vitesse, évitant de donner des détails superflus.

Le Manchot posa quelques questions aux ouvriers. Tous dormaient profondément lorsque Candy avait poussé son cri. Comme ces trois ouvriers étaient accompagnés, leur femme pouvait corroborer leur alibi.

Il ne restait donc plus que Michaud, Gérald et peut-être Fleurette qui avaient pu sortir de leur chambre et monter l'escalier, sans attirer l'attention.

Michel revint le premier. Il avait pris le temps de passer un pantalon et un chandail.

— Bon, descends tout de suite et téléphone à l'hôtel. L'un des deux sergents-détectives a peut-être couché là.

— Nous allons les prévenir cette nuit ? Carabine, ça veut dire qu'ils vont s'amener, personne pourra dormir.

— Je ne commettrai pas la même bêtise que toi, Michel. Quand un meurtre est commis, il faut prévenir les autorités immédiatement. Va, Candy se chargera de madame Crevier.

Lorsque les deux femmes furent descendues à leur tour, le Manchot ordonna aux trois ouvriers de retourner dans leur chambre.

— Essayez de dormir tout de suite. Si possible, je demanderai aux policiers de pas vous éveiller.

Puis, se tournant vers Philippe Michaud et Gérald, il leur ordonna :

— Vous deux, descendez avec moi.

Maintenant, dans l'immense living qui servait également de salle à dîner, on pouvait voir Candy, qui s'occupait de madame Crevier, Daniel Bourgeois qui venait d'apporter des somnifères, Michel qui parlait au téléphone et le Manchot avec les deux hommes qui l'accompagnaient.

Michel termina sa conversation et retourna auprès du Manchot.

J'ai pu parler au sergent-détective Verdon. Je lui ai raconté ce qui s'était passé. Il viendra, mais pas tout de suite. Il va se mettre en communication avec le médecin, les photographes, les experts. Ils arriveront tous au petit jour. En attendant, il m'a ordonné de monter la garde devant la porte de la chambre et de laisser entrer personne.

— Alors, obéis. Tiens, monte-toi une chaise. Car debout devant cette porte, tu trouveras peut-être le temps long.

Juliette Crevier avait pris les somnifères et Daniel lui offrit sa chambre.

— Si j'ai sommeil, fit-il, je m'étendrai sur un de ces divans.

Il y en avait trois dans le living-room. Candy alla donc installer madame Crevier, pendant que le Manchot causait avec Gérald et Michaud.

Michel s'approcha de Bourgeois.

— Écoutez, vous n'avez pas à coucher ici, puisque je dois passer la nuit debout, vous êtes aussi bien de prendre ma chambre.

— Mais...

— Le boss a certaines questions à poser à vos camarades et je suis persuadé qu'il préfère être seul.

— Autrement dit, fit Daniel, déçu, je suis de trop.

— Prenez-le pas comme ça, torrieu ! Vous, au moins, vous avez un alibi parfait pour ce second crime, puisque vous étiez avec le Manchot.

Candy réapparut.

— Elle va dormir. Les somnifères font déjà effet.

— Tu as sommeil? lui demanda Michel.

— Oh! non, pas du tout.

Michel tendit alors à Bourgeois la chaise qu'il tenait à la main.

— Monsieur Bourgeois, voulez-vous monter cette chaise et la mettre près de la porte de la chambre de monsieur Beauvais? Toi, Candy, je vais te demander un service. Peux-tu me remplacer quelques minutes?

— Te remplacer?

— Oui, comme garde, à la porte de la chambre. Je veux parler avec le boss; je veux également assister aux interrogatoires.

— Pourquoi toi, plus que moi?

— Parce que j'en sais beaucoup plus long que toi sur ces deux meurtres; parce que c'est moi qui ai commencé cette enquête et que, déjà, je commence à deviner ce qui s'est passé.

Candy baissa la voix:

— Tu soupçonnes quelqu'un?

— Peut-être. Ça te surprend, n'est-ce pas? Il me reste quelques points à éclaircir et, pour ça, je dois parler au boss.

Juste à ce moment, le Manchot se retourna:

— Michel ! Tu devrais être déjà de garde, en haut.

— Je sais, boss, mais faut que je vous parle. Ce sera pas long. Candy va me remplacer en attendant, elle dit qu'elle a pas sommeil. Ici, on est en paix pour causer, tandis qu'en haut, tout le monde peut nous entendre.

Michel fut surpris lorsqu'il vit Candy se diriger vers l'escalier et faire signe à Daniel de la suivre.

— Bon, je vais te rendre service, dit-elle à Michel. J'espère que tu t'en souviendras.

Et elle disparut dans l'escalier, suivie de Daniel qui transportait la chaise.

Le Manchot semblait avoir terminé l'interrogatoire de Michaud.

— Donc, c'est le cri qui vous a réveillé ?

— Oui, j'ai passé ma robe de chambre et je suis monté. Je vous ai vu, au même moment, sortir de votre chambre.

C'était la vérité, le Manchot l'avait aperçu dans l'escalier.

— Et puis, je me demande pour quelles raisons vous me posez ces questions d'un air soupçonneux. Garnier a été tué dans l'autobus. Beauvais, qui se trouvait tout près, a voulu faire chanter l'assassin et ce dernier a décidé de commettre un second meurtre. Deux meurtres, un seul assassin et moi, j'ai un alibi parfait pour le premier, demandez à votre partenaire.

Michel dut l'approuver.

— Donc, je ne puis être le coupable. Maintenant, messieurs, comme les policiers arriveront très tôt ce matin, j'aimerais bien dormir une heure ou deux. Vous avez des objections ?

— Non, vous pouvez aller vous coucher.

Maintenant, dans l'immense living-room, il n'y avait plus que trois hommes. Le Manchot, Michel et Gérald, le chauffeur.

— Et moi, je dois rester debout, je suppose ?
— Non.

Le Manchot l'examinait attentivement.

— Vous dormiez lorsque vous avez entendu Candy crier ?

— Oui, je dormais, comme tout le monde d'ailleurs.

— Curieux, murmura le Manchot.

— Comment ça ?

— Vous êtes sorti de votre chambre presque en même temps que moi et pourtant, vous avez eu le temps de passer votre pantalon.

« Carabine ! J'avais pas pensé à ça », songea Michel.

En effet, le conducteur de l'autobus était le seul homme qui avait eu le temps d'enfiler son pantalon.

— La réponse est très simple, fit Gérald, calmement. Ma valise est restée dans l'autobus.

131

J'ai été tellement occupé que je l'ai complètement oubliée. Or, comme je savais que nous pouvions être dérangés à tout moment...

— Pourquoi dites-vous ça?

— Parce que j'allais retirer mon pantalon et dormir en sous-vêtements, lorsque les Crevier ont commencé à se chamailler. Alors, quelques minutes plus tard, quand je suis retourné dans ma chambre, je me suis couché tout habillé. J'ai gardé mon T-shirt et mes pantalons. C'est simple, n'est-ce pas?

Le Manchot ne releva pas la remarque du conducteur.

— Si j'ai bien compris, vous travaillez pour l'usine Garnier?

— Oui, je suis le chauffeur privé du grand patron.

— Aviez-vous, comme plusieurs autres ouvriers, investi de l'argent dans les fonds de la maison?

— Pas une cenne. Ça fait huit mois seulement que j'ai été engagé. J'ai pas connu monsieur Landry, l'ex-associé du grand patron. J'ai jamais investi d'argent dans l'usine et j'avais aucune raison pour tuer l'homme qui me faisait gagner ma vie. Maintenant, qu'est-ce que je vais devenir, moi? Garnier sera remplacé. Le nouveau directeur décidera-t-il de me garder à son emploi? Garnier détestait conduire sa propre voiture, mais la plupart des gens sont pas comme lui.

— Bon, allez vous coucher, ordonna le Manchot. Nous reparlerons de tout ça demain.

Gérald était rendu à l'escalier, lorsque le Manchot lui demanda :

— Au fait, quand vous vous êtes arrêté à l'hôtel, aviez-vous fermé la porte de l'autobus ?

— Je l'avais fermée, mais je n'avais pas fermé à clef. On n'avait qu'à tirer la porte pour l'ouvrir. Je savais qu'on resterait rien que quelques minutes à l'hôtel.

— Vous êtes sorti en même temps que messieurs Garnier et Bourgeois ?

— Oui, derrière eux. Quand le patron s'est levé, j'ai pensé qu'on partirait bientôt et je l'ai suivi.

— Vous n'avez vu personne près de l'autobus ?

— Personne. J'ai ouvert la porte pour le patron et ce dernier m'a ordonné d'aller prévenir les autres de se hâter. Alors, je suis retourné à l'intérieur de l'hôtel. Vous feriez mieux d'interroger monsieur Daniel, c'est lui qui est resté seul avec le grand patron. C'est également lui qui va ramasser la galette !

— Comment ça ?

— C'est clair. Il va épouser mademoiselle Fleurette et, par le fait même, héritera de la fortune du bonhomme. Comme mari de Fleurette, il sera sans doute le nouveau directeur de l'usine. La mort de monsieur Garnier devient un sapré bon placement pour lui, vous trouvez pas ?

Et comme les deux hommes qui l'avaient écouté attentivement ne répondaient pas, il disparut dans l'escalier.

— Carabine ! C'est pas bête du tout, ce qu'il vient de dire.

— Tu voulais me parler, Michel ? Fais vite, car Candy va s'impatienter. J'ai l'impression que tu crois tenir l'assassin. Est-ce que je me trompe ?

Michel avait un sourire énigmatique et il ne répondit pas directement à la question de Dumont.

Chapitre IX

LE MANCHOT
VÉRITABLEMENT HANDICAPÉ

Michel Beaulac se dirigea vers un cabinet à boisson, un très beau meuble en pin.

— Boss, un bon cognac, ça vous ferait pas de tort ! Je vais chercher de la glace.

Et il se dirigea vers la cuisine. Lorsqu'il revint, il avait un verre rempli de glace et un « coke » à la main. Il versa une bonne rasade de cognac dans le verre où reposaient les cubes de glace et c'est avec un petit sourire moqueur qu'il s'approcha du Manchot.

— Je vous ai eu, hein?

— Comment ça?

— Vous pensiez que j'allais me servir un verre aussi. Avouez-le!

— Tu m'as fait un peu peur, fit le Manchot en riant.

— Vous n'avez rien à craindre, carabine! J'ai décidé de ne plus jamais toucher à ce poison-là. Oh! remarquez que je vous blâme pas de prendre un verre. Mais moi, je suis malade, je suis allergique à la boisson. Ça m'a pris du temps à l'admettre, mais maintenant, c'est fait.

Le Manchot sortit un cigare de sa poche et l'alluma, tout en murmurant:

— Fumer, ça me calme. On a chacun ses petites manies.

Il avança son bras gauche pour prendre son verre. Mais les doigts de sa prothèse semblaient avoir de la difficulté à se refermer.

Le Manchot eut un mouvement d'impatience, déposa son cigare dans le cendrier et prit le verre de la main droite.

— Quelque chose ne va pas, boss?

— C'est la première fois que ça m'arrive, la première fois depuis que je porte cette fameuse prothèse.

Et il cherchait à remuer sa main gauche qui ne bougeait pratiquement plus.

— Qu'est-ce qui se passe ? Quelque chose qui fonctionne pas ?

— La batterie. Il faut que je la recharge régulièrement. J'ai toujours mon chargeur et une batterie en réserve avec moi. Ça demande beaucoup d'énergie, cette main, et une batterie ne peut durer éternellement.

— Il va vous falloir la changer ?

— Ce serait déjà fait... si j'en avais une.

Michel venait de comprendre :

— Vous voulez dire que... vous avez oublié d'apporter une batterie de rechange ?

— Une batterie de rechange et le chargeur, oui. Oh ! remarque que je ne te blâme pas. Mais quand tu m'as téléphoné, j'étais en colère. Tu avais commis une grave bêtise en quittant les lieux d'un crime et avec le cadavre. Je tenais plus en place. Candy s'en est rendu compte. C'est pour cette raison qu'elle a insisté pour m'accompagner.

Michel se sentait responsable.

— Qu'est-ce qui va arriver ?

— Je ne pourrai pas me servir de ma prothèse. Je peux la garder ; mais, d'ici une heure ou deux, je ne pourrai plus me servir de ma main gauche. Mais oublions ça, je vais m'y habituer. Tu n'as pas répondu à ma question. Tu sais quelque chose que j'ignore ?

— Non, dit Michel. Je voulais simplement vous poser quelques questions. Tout d'abord,

137

pour quelle raison Daniel a-t-il tenu à vous voir ?

— Il sent que la police le soupçonne. Tu as vu ce qu'a dit le chauffeur, tantôt ? On le considérait comme suspect numéro un et c'est normal. Il n'a pas d'alibi pour le premier meurtre. Il a pu entrer dans l'autobus avec monsieur Garnier, le poignarder et en sortir aussitôt pour retourner à l'hôtel.

— C'est ce second meurtre qui débalance tout, murmura Michel. Je vous avoue franchement que moi aussi, j'ai soupçonné Daniel.

— Mais c'est lui qui a retenu nos services, tu sembles l'oublier.

Le grand Beaulac se laissa tomber sur le divan, étira ses longues jambes et étouffa un bâillement.

— J'ai déjà lu plusieurs romans policiers, boss. Moi, ça m'a toujours passionné, ce genre-là. Or, quand un auteur veut pas qu'on soupçonne le coupable, il a rien qu'à faire de l'assassin celui qui a engagé le détective.

Le Manchot approuva.

— Tu as raison, mais le roman et la vie, ce sont deux choses différentes. J'ai eu la chance de recevoir beaucoup de publicité, dernièrement. Les journaux ont parlé de moi comme si j'étais une sorte d'homme bionique et un détective capable de résoudre tous les mystères. Autrement dit, on m'a fait une réputation surfaite, mais elle est quand même là. Ça prendrait un homme qui a du front tout le tour de la tête pour engager le Manchot dans l'espoir de se moquer de lui et de commettre un meurtre sous ses yeux. Daniel ignorait que c'était toi qui allais les accompagner. De plus, il paraît timide. Non, je ne le vois pas préparer un tel crime. Enfin, il faudrait absolument que le second meurtre n'ait rien à voir avec le premier.

Michel avait son idée sur le second meurtre.

— Crevier était ivre. Il en voulait à son ami. Quand il a battu sa femme, il savait plus ce qu'il faisait. On l'a forcé à se coucher. Il s'endort. Son épouse se retire dans la chambre de Candy. Crevier s'éveille ; sa femme est plus là, il se souvient plus de rien. Il croit que sa femme est avec Beauvais. Il voit rouge, sort de sa chambre, traverse le corridor... et vous savez le reste.

— Pour ça, il lui aurait fallu avoir un couteau sur lui.

— Il a pu en prendre un dans la cuisine. Il y en a plusieurs, des petits, des gros, des pointus...

— Mais alors, il aurait fallu qu'il ait prémédité son meurtre et tu viens de dire toi-même qu'il a tué dans un moment de rage. Non, Michel, tu tires de très bonnes conclusions, tu as beaucoup réfléchi, mais je reste persuadé que tu es sur une fausse piste.

Michel avait saisi rapidement l'idée du Manchot.

— Beauvais a été tué parce qu'il en savait trop long ?

Le Manchot le corrigea :

— Beauvais a été tué parce qu'il a fait croire à tous qu'il en savait long, qu'il connaissait l'assassin. Est-ce que c'était la vérité ? Est-ce qu'il bluffait pour se rendre intéressant ? Nous ne le saurons sans doute jamais. Possible que même l'assassin l'ignore. Il peut avoir tué Beauvais sans lui donner la chance de répondre à la moindre question ou de chercher à s'entendre avec lui.

Le grand Beaulac s'écria :

— Mais alors, il y a pas de coupable, carabine ! Les alibis ? Ils ont tous des alibis pour le premier ou le second...

Michel ne termina pas sa phrase. Le Manchot lui avait fait signe de se taire. Dehors, la lune brillait, éclairant tout d'une lueur blafarde.

Rapidement, Robert Dumont s'était levé et approché de la fenêtre.

— Qu'est-ce qu'il y a ? murmura Michel en le suivant.

— J'ai vu une ombre. Je suis certain que quelqu'un était près de la fenêtre. En passant, son ombre s'est détachée sur le tapis.

140

Il n'y avait que deux sorties donnant à l'extérieur.

— Passe par l'avant, et moi je vais par l'arrière. Mais soyons prudents ; c'est peut-être un policier.

— Carabine ! Et dire que tous les deux, nous avons laissé nos armes dans notre chambre.

— Pas tous les deux, fit le Manchot en tirant un petit revolver de sa poche de robe de chambre. Moi, cette arme me quitte jamais... Ce que je ne peux pas faire avec mon gros Colt.

Les deux hommes se séparèrent. Michel sortit par l'avant et le Manchot par l'arrière.

Le jeune colosse venait à peine d'ouvrir la porte, qu'il aperçut une ombre qui se dessinait sur la pelouse. Quelqu'un se sauvait.

— Ne bougez pas ! cria Michel, ou je tire.

Le Manchot arrivait au pas de course, brandissant son revolver. À présent, l'ombre demeurait immobile.

— Bien joué, Michel.

— D'où il est, il pouvait pas voir si j'étais armé ou non. Lui, la lune l'éclairait, mais pas moi.

Ils avaient atteint l'inconnu.

— Entrez dans le chalet, fit le Manchot.

Et comme l'homme ne bougeait pas, Dumont voulut l'agripper de la main gauche, mais sa main refusa de se refermer.

— Maudite main ! l'entendit murmurer Michel.

Le jeune Beaulac saisit l'homme par le collet.

— Tu es sourd, non ? On te dit d'entrer dans le chalet.

Les deux hommes accompagnèrent leur prisonnier à l'intérieur et ce n'est qu'une fois entré que Michel s'écria :

— Mais je connais ce type !

— Hein ?

— C'est un des fiers-à-bras que Michaud a engagés. Il leur avait demandé de demeurer à l'hôtel.

Le Manchot avait été mis au courant de ce détail par l'assistant.

— Que faites-vous ici ? demanda le Manchot.

— C'est Philippe qui m'a demandé de venir pour surveiller le chalet.

— Quand ça ?

— Y a environ une heure. Il m'a dit avoir entendu un cri de femme. Il voulait du renfort. Il m'a commandé de demeurer à l'extérieur et d'attendre. Quant à mes deux chums, ils sont demeurés à l'hôtel.

Dumont réfléchissait rapidement.

— Non, c'est impossible. Philippe Michaud n'a pas eu le temps de vous téléphoner. Il est monté quelques secondes seulement après le cri.

L'homme voulut glisser la main dans sa poche, mais le Manchot le menaça avec son revolver.

— Je suis pas armé ; je voulais vous montrer le walkie-talkie qu'on possède. C'est avec ça que Philippe a communiqué avec moi. Ça prend seulement quelques secondes, avec ça.

Michel demanda :

— Voulez-vous que j'aille voir si Michaud dort ? Nous saurons si leurs histoires concordent.

— Inutile. Je le crois.

L'homme avait déposé le walkie-talkie sur la table et, sans y penser, le Manchot voulut le prendre pour l'examiner. Mais comme il tenait son revolver de la main droite, il chercha à saisir l'appareil de la main gauche, et encore une fois, celle-ci refusa de bouger.

Rapidement, Michel l'aida, prenant le revolver et surveillant le fier-à-bras pendant que le Manchot examinait l'appareil.

— Je n'aurais jamais cru que je m'étais habitué si rapidement à ma prothèse. Une main, c'est utile ; mais avec deux, on peut presque tout faire.

Brusquement, le Manchot reposa le walkie-talkie sur la table et se leva. Il continuait de regarder sa main gauche, devenue inutile.

— Michel !

— Oui.

— Occupe-toi de ce type, ficelle-le rapidement, mets-le hors d'état de nuire ; puis tu iras relever Candy, elle doit trouver le temps long.

— Vous voulez pas le confronter avec Michaud? D'après moi, ce serait important et...

— C'est inutile, maintenant.

— Comment ça?

— Nous avions tout devant nous et nous ne pouvions pas nous en rendre compte. Je sais maintenant tout ce qui s'est passé.

Michel Beaulac le regarda avec des yeux grands comme des pièces de cinquante cents.

— Vous voulez dire que vous connaissez le coupable?

— Attendons à demain matin pour résoudre ce mystère. J'aurai besoin de l'aide de la police officielle. Ce ne sera pas facile, car je ne possède aucune preuve.

Puis, fixant de nouveau sa prothèse, il murmura :

— Je suis certain d'avoir raison.

Il refusa d'ajouter autre chose. Il s'engagea dans l'escalier, puis avant de disparaître en haut, il ajouta :

— Prends soin de mon revolver. J'en aurai pas besoin. J'ai l'impression que maintenant, je vais pouvoir dormir.

Chapitre X

UN PIÈGE BIEN TENDU

Non seulement Michel avait solidement ligoté son prisonnier, mais il ne voulait pas le laisser dans le living-room. Michaud pouvait se lever et libérer son ami.

— Nous allons faire un petit voyage.

Le grand Beaulac mit le revolver dans sa poche, souleva son prisonnier et le jucha sur son épaule. Quelques instants plus tard, il arrivait à l'étage.

Candy était assise devant la porte de la chambre de Beauvais. Mais sa tête était penchée en avant : elle dormait.

— Y a pas à dire, torrieu, fit Michel en la poussant du pied, tu fais une bonne gardienne.

— Hein ? quoi ?

Candy se frotta les yeux, regarda Michel, puis demanda, surprise :

— Mais qu'est-ce que c'est que ça ?

— Un prisonnier ! Ce serait trop long à te raconter. Il rôdait près du chalet et le « boss » et moi, on l'a capturé.

— C'est lui, l'assassin ?

— Je crois pas. Il dit qu'il est ici rien que depuis quelques minutes. C'est à monsieur Dumont que tu devrais poser cette question. Lui, il sait qui a tué.

— Allons donc !

— Je te le dis. Il a compris, brusquement. Je sais pas de quelle façon le déclic s'est fait... Il s'est passé quelque chose... Nous sommes sortis, nous avons capturé cet homme, puis c'est en examinant le walkie-talkie qu'il a brusquement changé. Il venait de résoudre le mystère.

Michel avait déposé son prisonnier près de la porte.

— Je suis trop endormie pour me creuser les méninges. Je vais me coucher.

— Chanceuse !

Candy lui lança un sourire aguichant :

— Si tu t'ennuies, viens me retrouver. Aucune des chambres possède de serrure. Tu pourras entrer quand tu voudras.

Et elle disparut dans sa chambre.

« Elle dit ça, parce qu'elle sait fort bien que j'ai pas le droit de bouger d'ici. » Michel s'assit. Son prisonnier était à ses côtés, incapable de bouger.

Le jeune Beaulac réfléchissait. « Carabine ! Qu'est-ce qui a bien pu aider monsieur Dumont à comprendre ? Le walkie-talkie... Ce doit être ça... C'est à ce moment-là que j'ai vu sa figure changer... Mais qu'est-ce qu'un walkie-talkie viendrait faire dans ces deux meurtres ? »

À force de réfléchir, la fatigue aidant, un mal de tête commença à l'ennuyer.

« Si seulement je pouvais m'empêcher de réfléchir. » Il regarda sa montre. « J'espère que la police tardera pas. »

Il étendit ses longues jambes et chercha à fermer les yeux, à dormir. Personne ne pouvait entrer dans la chambre de Beauvais sans le déranger.

Mais au bout d'une vingtaine de minutes, il renonça à fermer l'œil. Il se leva, s'alluma une cigarette et se promena dans le corridor. Il avait même enlevé ses pantoufles pour ne pas faire de bruit.

« Pourtant, je sens que je suis moi-même tout près de la solution. »

*
* *

Michel sursauta et se leva brusquement. Il avait sommeillé, oh! très légèrement, pendant peut-être quelques minutes.

Le jour se levait déjà. On pouvait voir des rayons de soleil dans l'escalier.

Il dressa l'oreille et, pour la seconde fois, il entendit un bruit. Ça venait sûrement de l'extérieur.

— Ce doit être les policiers.

Il allait descendre, lorsque la porte de la chambre du Manchot s'ouvrit.

— La police provinciale est là, fit Michel.

— C'est ce que j'ai pensé, répondit laconiquement le Manchot.

Michel s'étira.

— Tu as pu dormir?

— Non... j'ai « cogné des clous » durant quelques minutes, mais pas plus.

— Eh bien, va t'étendre sur mon lit. Je te laisserai dormir une couple d'heures.

— Oh! non, je veux savoir ce qui va se passer.

Mais le Manchot, un sourire énigmatique sur les lèvres, déclara:

— Il ne se passera rien, du moins, pas tout de suite. Il faut tendre un piège et je dois mettre la police officielle dans le coup.

Mais le jeune homme protesta :

— Je vous comprends pas, carabine ! Je suis votre assistant. Ce piège, je pourrais vous aider à le tendre.

— Oui, tu pourrais. Mais il y a une chose qu'il ne faut pas que tu oublies, Michel : tu es détective privé. Tu auras toujours besoin de l'aide de la police officielle. C'est la première fois que nous travaillons avec « la provinciale ». En demandant leur coopération, je laisserai aux deux sergents-détectives le soin de démêler eux-mêmes le mystère. Moi, je n'ai plus besoin de publicité ; mais des amis reconnaissants, surtout des policiers, ça pourra toujours m'être utile.

— Et qui va monter la garde ?

— Ce n'est plus nécessaire. Enfin, j'ai l'impression que les policiers doivent être en assez grand nombre.

On entendit frapper à la porte.

— Je vais leur ouvrir. Va te coucher.

Michel alla s'étendre sur le lit du Manchot et, vaincu par cette longue nuit de surveillance, il ne tarda pas à tomber dans un sommeil profond.

*
* *

Michel ouvrit les yeux. Il faisait jour. Le soleil brillait même assez fort dans la chambre du Manchot. Le jeune détective jeta un coup d'œil sur sa montre.

— Carabine ! Déjà huit heures trente.

Il se leva rapidement. Il aurait bien voulu s'habiller, mais Daniel Bourgeois devait encore dormir dans sa chambre.

Sortant dans le corridor, il se rendit compte que la porte de sa chambre était ouverte. Daniel était donc debout. Michel en profita pour se vêtir en vitesse.

Lorsqu'il descendit dans le grand living-room, il se rendit compte que les policiers avaient commencé leur enquête. Daniel, des ouvriers et leurs épouses déjeunaient. Il les salua et se dirigea vers la cuisine.

— Salut.

Michaud se retourna.

— Vous voulez déjeuner ?

— Non, un café seulement ; j'ai jamais faim, le matin. Monsieur Dumont est-il sorti ?

— Sûrement pas. Il s'entretient avec les officiers de police. Je crois qu'ils sont dans la pièce qui servait de chambre à mademoiselle Fleurette. Je ne sais pas ce qui se passe ce matin, mais il y a ici une atmosphère fort mystérieuse. On se parle tout bas. Monsieur Dumont et les policiers ont causé longuement avec mademoiselle Fleurette, puis avec Lucile Nadon. On a fait des appels à Montréal...

Michel le foudroya du regard :

— Et je suppose qu'on vous a parlé de votre tueur à gages ?

— L'imbécile, murmura Michaud. Je lui avais dit de demeurer dans sa voiture et de ne s'approcher de la maison que si je l'appelais.

Il prit une grande respiration et avala sa salive. L'homme était mal à l'aise.

— Mettez-vous à ma place, Beaulac. Il y a un assassin, un maniaque parmi nous. Déjà, deux meurtres ont été commis. Qui me dit que l'assassin ne frappera pas encore ? Qui me dit que je ne serai pas la prochaine victime ? Je me devais de prendre certaines précautions. Si par hasard quelqu'un avait voulu fuir cette maison, cette nuit, et que mon homme avait attrapé cette personne, on ne me blâmerait sûrement pas.

Michel retourna dans la grande salle. À ce moment, Fleurette fit son apparition. La jeune fille était pâle ; ses yeux rouges contrastaient avec le reste de sa figure. Elle passa près de Daniel.

— Viens t'asseoir ici, fit le jeune homme.

La réponse fut sèche, définitive.

— Non !

Daniel eut une lueur d'interrogation dans le regard. Il aurait voulu demander à celle qu'il considérait comme sa fiancée, la raison de cette froideur subite, mais déjà, elle était rendue à la cuisine.

— Allons-nous nous éterniser longtemps ici ? lui demanda Michaud.

— Vous poserez cette question aux policiers.

Quelques minutes plus tard, Candy paraissait dans l'escalier. Elle semblait reposée. Immédiatement, elle alla trouver Michel.

— Il y a du nouveau ?

— Et comment ! répondit Michel en scandant chacun de ses mots. La batterie du boss est « à terre ».

Candy haussa les épaules :

— Si c'est encore une de tes blagues, je la comprends pas du tout.

— C'est pas une blague. Monsieur Dumont peut plus se servir de sa main gauche. Il a oublié son chargeur et sa batterie de rechange.

La jolie blonde s'assit à la table et l'épouse d'un des ouvriers lui apporta son déjeuner.

— Je me demande bien ce que vient faire la prothèse de Robert dans cette histoire de meurtre.

— C'est la clef du mystère.

— Dis donc, serais-tu tombé sur la tête au cours de la nuit, toi ?

— Je te dis que le boss connaît l'assassin, et ç'a rapport avec sa batterie et le walkie-talkie. J'ai eu beau me creuser la cervelle...

152

— Oh! je comprends que tu paraisses si fatigué. Tu as creusé longtemps pour la rejoindre, ta p'tite cervelle!

Lucile Nadon, toujours aussi jolie, venait de prendre place à la table. Elle adressa un sourire complice à Michel. Enfin, on entendit une porte s'ouvrir et se refermer et le Manchot parut. Tout le monde était dans le living-room, à l'exception de Michaud, Fleurette et une des femmes qui se trouvaient à deux pas, dans la cuisine.

Robert Dumont salua à peine ses deux acolytes, regarda autour de lui, passa dans la cuisine et fit un signe à Fleurette.

Aussitôt, la jeune fille s'approcha de la table, suivie de Michaud.

— Je vous demanderais un moment d'attention, s'il vous plaît.

Tout le monde se tut. Un silence gênant s'abattit sur la pièce.

— J'ai beaucoup réfléchi cette nuit, fit Fleurette d'une voix étranglée par l'émotion. Hier... la mort de papa... j'étais incapable de prendre une décision. Ce matin, c'est différent. Nous allons profiter de notre séjour ici pour tenir une assemblée du bureau de direction. Lundi matin, l'usine doit fonctionner comme à l'ordinaire.

Daniel l'interrompit :

— Mais il faudrait quorum, et les directeurs sont pas ici.

Ce fut le Manchot qui prit la parole.

— Ils viendront. Nous avons communiqué avec eux. Un hélicoptère est mis à la disposition de ces messieurs. Ils seront là vers dix heures.

Mais Daniel ne semblait pas du tout de l'avis de Fleurette.

— Je me demande pour quelle raison c'est si urgent de tenir cette assemblée. Il me semble que, la semaine prochaine...

Fleurette paraissait prendre de plus en plus d'assurance.

— Non, Daniel, je...

Il l'interrompit à nouveau :

— Il est toujours mauvais de prendre des décisions trop rapidement. Ensemble, nous aurions pu analyser la situation. Le bureau de direction existe toujours. Je remplace ton père et...

À la surprise de tous, Fleurette répliqua sèchement :

— C'est moi qui remplacerai papa au conseil d'administration.

— Comme tu voudras, murmura Daniel.

À ce moment, les sergents-détectives Laniel et Verdon apparurent. Ils restèrent debout, silencieux, mais prêtant une oreille attentive aux conversations. Le Manchot se tenait toujours près de Fleurette, comme s'il voulait la supporter par sa présence. Il lui glissa quelques mots à l'oreille.

La jeune fille hésita. Elle joua quelques secondes avec ses doigts, abaissa son regard, puis :

— Contrairement à ce que vous croyez tous, j'ai décidé de ne pas me marier.

Cette nouvelle eut l'effet d'une bombe. Il y eut des chuchotements. Daniel se leva brusquement, ouvrit la bouche, mais aucun son n'en sortit. Il retomba sur son fauteuil.

— Vous savez, expliqua Fleurette lentement, j'ai toujours eu un esprit de contradiction. Quand papa ordonnait quelque chose, je m'efforçais de faire le contraire. Papa a voulu que je devienne l'amie de monsieur Michaud. J'ai refusé. Je ne déteste pas monsieur Michaud, mais ce n'est pas mon type d'homme.

Michaud s'était allumé une cigarette. Il aspira et rejeta rapidement la fumée, comme s'il avait voulu se cacher derrière un nuage blanc.

— Pour contrecarrer papa, je me suis jetée au cou de Daniel Bourgeois. Je me suis fait croire que je l'aimais.

— Mais Fleurette...

— Maintenant que papa est disparu, je me rends compte que ce n'était qu'un tout petit béguin que j'avais pour monsieur Bourgeois.

— C'est faux, tu as dit que...

— Je croyais t'aimer, je me suis trompée.

Candy se pencha vers Michel.

— Je me demande pourquoi Robert ne la fait pas taire. C'est sûrement la douleur qui la fait parler ainsi.

Mais Fleurette continuait de plus belle. Sa voix, maintenant, était ferme. Elle dominait nettement la situation.

— Les affaires et le sentiment ne doivent pas entrer en lutte. Non seulement je n'épouserai pas Daniel, mais je devrai me passer de ses services.

Cette fois, tout le monde trouva qu'elle y allait un peu fort. Daniel était pâle comme la mort. Il vivait sûrement un cauchemar.

— J'aurais peut-être pu t'aimer, Daniel; mais hier soir, j'ai compris que tous les autres avaient raison. Papa m'avait déjà prévenue, mais je refusais d'ouvrir les yeux.

Il y eut un long silence. Tout le monde regardait Daniel Bourgeois, attendant sa réaction. Il posa enfin la question que tous attendaient:

— Qu'est-ce que tu veux dire?

— Hier soir, malgré les deux pilules que j'ai prises, je ne pouvais pas dormir. Je suis sortie de ma chambre. Je voulais te parler, mais à ce moment précis, je t'ai vu monter l'escalier et...

156

— Oui, elle a raison, j'ai quitté ma chambre, hier soir, je suis allé causer avec monsieur Dumont. J'étais avec lui lorsque Beauvais a été tué.

Fleurette reprit la parole.

— Je t'ai suivi de loin, dans l'escalier. Tu as regardé autour de toi, et tu as frappé à la porte d'une chambre.

Elle se tourna du côté de Lucile Nadon.

— Ai-je besoin de préciser laquelle?

Daniel voulut se défendre, mais il bégayait.

— Oui, je suis allé voir Lucile... je veux dire mademoiselle Nadon. C'est normal, je voulais discuter avec elle. C'est la secrétaire de ton père et...

Le Manchot, cette fois, prit la parole. Il s'adressa à Fleurette comme si les autres n'avaient pas été là.

— Vous avez oublié de remercier monsieur Michaud de vous avoir ouvert les yeux sur la conduite de Daniel.

Daniel bondit.

— Qu'est-ce que vous dites? s'exclama-t-il.

Michaud voulut protester, mais Fleurette ne lui en donna pas la chance.

— Ne craignez rien, monsieur Dumont. Monsieur Michaud sera bien récompensé puisqu'il fera partie du bureau de direction de la maison. Du moins, je vais le proposer au conseil d'administration.

Daniel s'était rapidement approché de Michaud.

Fleurette éleva la voix, car il y avait maintenant passablement de brouhaha dans la pièce.

— Et j'ai bel et bien l'intention de reconnaître le syndicat. Il est temps que les droits des ouvriers...

Cette fois, elle dut interrompre son petit discours, car les ouvriers l'applaudissaient frénétiquement.

Le Manchot avait quitté son poste aux côtés de Fleurette et il s'était approché de Daniel et Michaud.

— Tu es un beau salaud !

— Mais je te jure...

— Tu crois t'en tirer aussi facilement, grinça Daniel.

Il serrait les poings. Son visage était blême et crispé de colère.

— Ta gueule, murmura Michaud.

— Dire que je t'ai fait confiance. Mais tu ne t'en tireras pas comme ça.

— Vas-tu te taire, imbécile !

— Moi, un imbécile ? s'écria Daniel. Je me demande lequel de nous deux est l'imbécile. Notre plan était parfait. Jamais on ne nous aurait soupçonnés. Mais je ne serai pas le seul à payer, oh non ! C'est lui, vous entendez, lui qui a tué Beauvais !

— Mais il est fou ! hurla Michaud.

Fleurette n'en pouvait plus. Elle se laissa tomber sur la chaise qui se trouvait près d'elle, appuya sa tête sur ses bras posés sur la table et éclata en sanglots.

— Vous aviez raison, vous aviez raison !

Le Manchot fit signe à Candy et, rapidement, la jolie blonde se porta au secours de la jeune fille. Les deux policiers, Laniel et Verdon, encadraient maintenant Daniel Bourgeois et Michaud.

Robert Dumont haussa la voix, imposant, par le fait même, le silence.

— Vous m'avez bien eu, Bourgeois, lorsque vous êtes venu me trouver pour retenir mes services. Déjà, je suppose, tout votre plan était prêt. Vous tuez votre patron et vous épousez sa fille. Vous devenez riche du jour au lendemain. Vous devenez le grand patron.

Daniel rageait :

— Je n'ai tué personne, c'est lui, c'est Michaud qui...

— C'est Michaud qui a commis le second meurtre, oui. Il ne devait se commettre qu'un seul meurtre, et en ma présence. C'est mon camarade, Michel Beaulac, qui m'a remplacé. Vous vous êtes dit, Bourgeois, que personne ne pouvait vous soupçonner, pas vous, pas l'amoureux de Fleurette, pas celui qui avait engagé un détective privé pour protéger monsieur Garnier.

Michel comprit soudain que son raisonnement était juste. Il avait deviné la vérité, du moins, une partie.

Le Manchot continuait :

— Pendant que Michaud tenait Beaulac occupé, vous vous rendiez à l'autobus avec monsieur Garnier. Il ne se doutait de rien. Il a éloigné le chauffeur. Vous êtes monté dans l'autobus avec lui, vous l'avez poignardé et, rapidement, vous êtes retourné à l'hôtel. Mais voilà, Beauvais avait probablement vu quelque chose. Il a parlé de faire chanter l'assassin. Vous avez pris peur. Vous avez décidé de commettre un second meurtre...

— Mais, j'étais avec vous...

— Oui, pendant que votre complice Michaud, allait tuer Beauvais. Oui, vous étiez avec moi, regardant votre montre nerveusement, attendant l'heure fatidique. Il vous fallait un alibi. Nous nous sommes trouvés devant deux meurtres et les principaux suspects avaient tous des alibis pour l'un des deux.

Cette fois, il se tourna vers Lucile Nadon.

— Mademoiselle, j'ignore si votre amant vous avait mise au courant de ses projets...

— Jamais ! cria Lucile. Oh ! il m'avait parlé de son mariage avec Fleurette, mais nous devions continuer de nous voir. Daniel serait devenu le bras droit de monsieur Garnier et moi, par le fait même, j'aurais eu une meilleure position, un salaire plus élevé. Mais jamais, je vous jure, il ne m'a parlé de meurtre.

Le Manchot conclut :

— Ces deux hommes avaient décidé de prendre la direction de toute la maison Garnier. Heureusement, j'ai vu clair dans leur jeu.

Michaud s'avouait vaincu, mais il pardonnait difficilement à Daniel.

— Tu ne comprends donc pas qu'on nous a tendu un piège ? Ils n'avaient aucune preuve, aucune. Tu es tombé dans ce piège comme un enfant. Tu as mordu à l'hameçon...

Laniel l'interrompit en lui mettant la main sur l'épaule.

— Allons, venez avec moi. Tu t'occupes de l'autre ?

Déjà, Verdon passait les menottes aux poignets de Daniel Bourgeois. Lorsque ce dernier passa devant le Manchot, Robert Dumont lui déclara :

— Ce fut une grave erreur de me prendre pour un imbécile.

Michel put enfin glisser quelques mots à Robert Dumont.

— Je comprends pas... Qu'est-ce que votre batterie vient faire dans tout ça ? C'est à ce moment que vous avez compris, n'est-ce pas ?

Le Manchot esquissa un sourire :

— Oui, Michel. J'ai compris lorsque je t'ai dit qu'avec deux mains, je pouvais faire beaucoup de choses. Deux mains... j'ai fait le rapprochement. Avec deux assassins, on pouvait résoudre le mystère. Immédiatement, j'ai tout compris. Mais il a fallu l'aide de cette fille...

Il montra Fleurette.

— Elle a été extraordinaire ! Ce n'était pas facile de jouer cette comédie, de marcher sur ses sentiments. Car, vois-tu, Michel, elle aimait véritablement Daniel Bourgeois. Elle souhaitait que j'aie fait erreur dans mon raisonnement. Hélas, j'avais vu juste. Daniel a perdu la tête quand il a vu que tout son plan s'effondrait. Il a réellement cru que Michaud l'avait trahi.

Michel Beaulac admirait le Manchot. Robert Dumont, sérieusement handicapé à cause de l'inefficacité de sa prothèse, avait quand même pu démasquer les coupables.

Le Manchot regarda sa main gauche.

— Sans cette main, j'aurais mis beaucoup plus de temps à comprendre. Oui, Michel, deux mains, tout comme deux personnes, peuvent faire de grandes choses.

*
* *

Robert Dumont éprouvait une certaine pitié pour Hélène Prieur, cette femme qu'il avait déjà aimée, qu'il aurait peut-être épousée s'il n'avait pas été victime de cet accident qui l'avait handicapé pour la vie.

Mais aujourd'hui, le Manchot était devenu un homme qui se serait voulu insensible. Le destin l'avait trop cruellement marqué. À quelques reprises, il sortit avec Hélène Prieur. Cette femme était aussi jolie qu'au moment où il l'avait connue. Mais le temps avait complètement annihilé l'amour qu'il avait éprouvé pour elle.

Cependant, la sentant complètement découragée, Dumont cherchait à lui redonner un nouvel espoir de vivre. Le Manchot comprit vite qu'il perdait son temps. Hélène rêvait encore d'un amour impossible. Elle voulait refaire sa vie avec celui qu'elle n'avait jamais oublié.

Par souci d'honnêteté, Dumont lui fit comprendre qu'il était inutile d'espérer plus qu'une amitié sincère. Hélène refusait de s'avouer vaincue.

Ce soir-là, le Manchot venait de rentrer à son appartement, lorsque le téléphone sonna.

C'était l'employée de son service téléphonique qui avait cherché à le rejoindre à quelques reprises, au cours de la soirée.

— Il y a une demoiselle Prieur qui veut vous parler. Elle a appelé plusieurs fois. Elle dit que c'est très important. Il faut que vous la rappeliez, peu importe l'heure.

— Merci, mademoiselle.

— Un instant, elle m'a laissé un numéro. Elle n'est pas chez elle.

Le Manchot nota le numéro et, immédiatement, il le composa. La sonnerie retentit à quatre reprises. Il allait raccrocher lorsque, enfin, on décrocha.

— Allô, c'est toi, Robert ; c'est toi, n'est-ce pas ?

La voix d'Hélène Prieur semblait très lointaine.

— Oui, oui, Hélène, c'est moi. Que se passe-t-il ?

— Il est trop tard ! C'est fini.

— Voyons, Hélène, qu'est-ce qui se passe encore ?

— Je... je voulais te dire adieu... une dernière fois... À quoi bon vivre... C'est fini, Robert... Si tu avais voulu...

— Allô, Hélène, où es-tu ?

— Inutile, Robert... Trop tard... Tu sais... je t'ai toujours aimé.

Le Manchot hurlait dans l'appareil.

— Hélène, quelle bêtise as-tu faite ? Donne-moi l'adresse de l'appartement où tu te trouves...

— Robert... je... écrit... lettre...

— Hélène ! Hélène !

Mais à l'autre bout du fil, plus personne ne répondait.

Il semblait bien que, désespérée, l'ancienne fiancée du Manchot ait décidé de se suicider.

Si réellement elle a mis sa menace à exécution, si elle a écrit une lettre blâmant le Manchot pour son suicide, cela pourrait causer de nombreux ennuis à notre héros.

Robert Dumont pourra-t-il sauver Hélène Prieur ?

Ne manquez pas de vous procurer, le mois prochain, la nouvelle aventure de votre héros préféré, intitulée : *Bain de sang*.

LE MANCHOT

L'assasin ne prend pas
de vacances

RECEVEZ RÉGULIÈREMENT
les livres de la série Le Manchot !

Il en paraît un chaque mois, au bas prix de $2.95. Abonnez-vous pour 10 numéros et payez $24.50 au lieu de $29.50 — **une économie de $5.00.**

Je désire commencer mon abonnement au numéro :
01 — 02 — 03 — 04 — 05 — 06 — 07 — 08 — 09 — 10 — 11 — 12 — 13 — 14 — 15
Veuillez encercler le numéro choisi.

Ci-joint la somme de $ ....
sous la forme de ☐ chèque ☐ mandat
à l'ordre de :
    ÉDITIONS QUÉBEC/AMÉRIQUE,
    Suite 801,
    450 est, rue Sherbrooke,
    MONTRÉAL, P.Q.
    H2L 1J8

Nom ....
Adresse ....
....
Code ....

LE MANCHOT — 01

LA MORT FRAPPE DEUX FOIS

À la suite d'un accident, le policier Robert Dumont devient manchot. Il se voit forcé de prendre une retraite prématurée.

Patrick Morse lui offre un emploi à la maison Sorino. Il devra faire enquête sur la disparition régulière de pierres précieuses.

Mais le Manchot s'intéresse beaucoup plus à la mort accidentelle de Luigi Sorino, survenue quelques mois plus tôt. Dumont est persuadé que le mystère entourant cette mort n'a pas été complètement éclairci. Il accepte donc l'emploi de Morse. Mais il ne vise qu'un but : résoudre l'énigme Sorino.

C'est alors que les complications surviendront, entraînant le Manchot dans une première aventure où l'action va bon train et où la mort rôde continuellement.

LE MANCHOT — 02

LA CHASSE À L'HÉRITIÈRE

Plusieurs héritiers sont déçus. Philippe Rancourt laisse son entière fortune à sa fille. Mais voilà que cette dernière a été abandonnée par son père alors qu'elle était bébé et Rancourt est toujours demeuré sans nouvelles d'elle.

L'enfant a sans doute été adoptée, mais on ignore par qui.

Le Manchot doit retrouver l'héritière de cette fortune. La tâche s'annonce extrêmement ardue car plusieurs personnes ont tout intérêt à ce que cette fille ne soit jamais identifiée.

Le Manchot et Michel, son adjoint, verront de nombreuses embûches se dresser sur leur route, d'autant plus que plusieurs jeunes filles tenteront de se faire passer pour l'enfant de Rancourt, dans le but d'hériter de sa fortune.

Une chasse à l'héritière, palpitante du début à la fin.

LE MANCHOT — 03

MADEMOISELLE PUR-SANG

Nicole, la nouvelle secrétaire du Manchot, a été choisie pour tourner dans un film canadien : « Mademoiselle Pur-sang ».

Robert Dumont et Michel Beaulac sont invités à assister à une journée de tournage.

Au beau milieu d'une scène, une comédienne meurt, assassinée.

Le Manchot est immédiatement engagé par le producteur pour faire enquête. Selon lui, ce sera une enquête de routine puisque l'assassin se trouve sur le plateau et qu'il n'a pu se débarrasser de son arme.

Mais la situation se complique drôlement et d'autres meurtres sont commis dans cette atmosphère très spéciale au milieu du cinéma.

Suivez le Manchot dans cette nouvelle aventure remplie de péripéties.

Dans la même collection

LE MANCHOT — 04

ALLÔ... ICI, LA MORT!

Qui est ce maniaque qui tente de terroriser Cécile Valois par ses appels anonymes? Non seulement il apprend à cette femme que son mari la trompe, mais il menace de tuer Valois.

Le Manchot est appelé à enquêter sur cette affaire qui semble anodine. Mais le maniaque décide de mettre ses menaces à exécution. Il frappera à Montréal, il frappera également à Miami, où Nicole a accompagné madame Valois en vacances.

Robert Dumont et ses aides passeront par toute la gamme des émotions avant de pouvoir démasquer le coupable.

Suivez le Manchot dans cette nouvelle aventure qui vous tiendra en haleine, du début à la fin.

LE MANCHOT — 05

LE CADAVRE REGARDAIT LA TÉLÉ

Marianne Tanguay a tout pour être heureuse. Elle a épousé l'homme qu'elle aimait, elle a hérité une importante fortune de son père et son mari s'occupe à diriger habilement ses entreprises.

Mais, quelques années plus tôt, Marianne a eu une aventure avec Victor Gauvin, comptable de la compagnie dirigée par son père. Mais, un jour, la vérité éclata : Gauvin était un voleur, il n'avait jamais aimé Marianne, il ne recherchait que la fortune. Marianne refusa de faire arrêter Gauvin, ce dernier disparut de sa vie, Marianne l'oublia et quelques mois plus tard elle épousait Bernard Tanguay.

Et voilà que, brusquement, Gauvin réapparaît dans la vie de Marianne. Non seulement il veut la faire chanter, mais Lorraine, jeune sœur de Marianne, est tombée amoureuse de ce scélérat.

Euclide Raymond, vieil employé de la compagnie, que Marianne considère comme son père, décide de demander l'aide du Manchot. Pour Robert Dumont, cela semble être une simple affaire de chantage.

Mais l'enquête est à peine commencée que Robert Dumont se trouve en face d'un cadavre... un cadavre qui aime la télé...

Le Manchot et ses acolytes sont entraînés dans une aventure où le mystérieux assassin ne sera démasqué qu'à la toute fin du roman.

Bernier qui tentera de le faire passer pour un maniaque sexuel.

Une aventure remplie de rebondissements, où l'action vous tiendra sur le qui-vive.

Suivez le Manchot dans ce nouveau roman où le climat est continuellement à la pluie... une pluie de cadavres.

ÉCHEC ET... MORT

Quatre ans plus tôt, un vol de quatre millions a été commis à la bijouterie Centy. On n'a jamais retrouvé cette fortune. Yvon Roussard, bagnard soupçonné de ce vol, meurt d'une crise cardiaque. Cependant, il a laissé à sa concubine une enveloppe contenant peut-être le secret du trésor disparu.

Irène Fargue demande l'aide du Manchot. Aguiché par la promesse d'une récompense de $125 000, ce dernier se laissera attirer dans une aventure où les criminels les plus endurcis n'hésitent pas à tuer pour arriver à leurs fins. Une aventure où l'action est présente à chaque instant. Une course au trésor où la mort guette à chaque tournant du parcours.

L'ABEILLE AMOUREUSE

Le Manchot reçoit une lettre. Un homme lui demande de le protéger, car on veut attenter à sa vie. Lorsque Robert Dumont cherche à entrer en communication avec cet homme, une surprise l'attend.

Une journaliste hérite d'un pendentif: l'« Abeille amoureuse ». D'après la légende, ce pendentif rend passionnée toute femme qui le porte et attire les malheurs sur l'homme qui décide de le garder.

Dumont découvre que le type qui lui a écrit est celui-là même qui avait la garde de l'abeille amoureuse.

Quant à Candy, ne voulant pas croire à la légende, elle décide de porter l'étrange pendentif. Et c'est le début d'une aventure mystérieuse, remplie de rebondissements imprévus de la première à la dernière page.

Monsieur Onil Jonas, un homme qui calcule chaque minute de son temps, décide de remettre à plus tard l'ouverture d'un cadeau qu'il vient de recevoir.

Le même soir, lorsque monsieur Jonas entrouvre la fameuse boîte, il a un haut le coeur. Pour lui, la scène est monstrueuse. Mais qu'à cela ne tienne. Le mercredi soir, il va toujours au cinéma et il ne changera pas son horaire.

Mais, lorsqu'enfin monsieur Jonas décide d'entrer en communication avec la police, il est trop tard. L'étrange boîte et son macabre contenu sont disparus.

Que contenait donc cette boîte? Et que viendra faire le Manchot et son équipe dans cette histoire mystérieuse remplies de péripéties? Monsieur Jonas n'aura pas fini de vous étonner!

Pour de plus amples informations concernant nos publications, demandez notre catalogue complet à l'adresse suivante :

ÉDITIONS QUÉBEC/AMÉRIQUE
450 est, rue Sherbrooke
Suite 801
MONTRÉAL, P.Q.
H2L 1J8

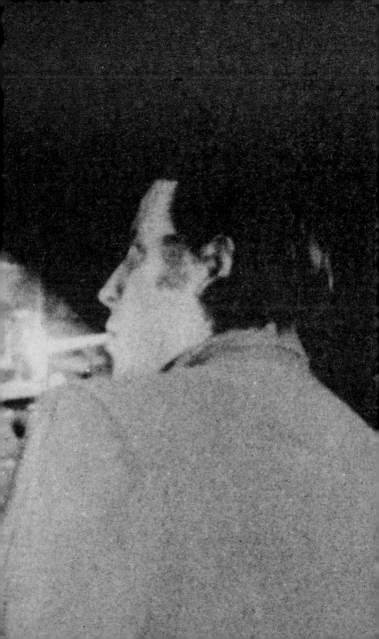

IMPRIMERIE
L'ÉCLAIREUR
BEAUCEVILLE

5684